MW00776197

EDAF
MADRID - MÉXICO

STEPHAN SCHULTE

EL GRAN LIBRO DEL REIKI

La guía más completa y actualizada sobre el arte de curar

EDAF / NUEVA ERA

Título del original:
REIKI UND ENERGIEARBEIT

Traducido por:
EDUARDO KNÖRR

Dirección en Internet: http://www.arrakis.es/~edaf
Correo electrónico: edaf@arrakis.es

Depósito legal: M. 7.440-1999
ISBN: 84-414-0217-5

PRINTED IN SPAIN IMPRESO EN ESPAÑA

IMPRIME: IBERICA GRAFIC. S. L. - FUENLABRADA (MADRID)

Índice

	Páginas
PRÓLOGO	9
LA HISTORIA DEL REIKI	13
INTRODUCCIÓN	17
INDICACIONES	23
CONTRAINDICACIONES	27
Contraindicaciones que dependen del terapeuta	27
Contraindicaciones que dependen del cliente o de la enfermedad	28
INTERACCIONES CON MEDICAMENTOS Y OTRAS TERAPIAS	33
ABUSO DEL REIKI	37
¿CÓMO PUEDO ENCONTRAR AL MAESTRO DE REIKI «CORRECTO» PARA MÍ?	43
REACCIONES AL REIKI	51
RITUALES Y PREPARATIVOS PARA UNA TERAPIA REIKI	63
POSICIONES DE LAS MANOS	73
TERAPIA BÁSICA	75
POSICIONES ESPECIALES	97

Páginas

TERAPIA ABREVIADA 107
EFECTOS SECUNDARIOS 115

Fase de depuración 117
Aumento de la sensibilidad 121
Sobrecarga 124
Transferencia de síntomas 127

EJERCICIOS 149

Reglas de comportamiento 150
Ejercicios de visualización 153
Ejercicios de depuración 159
Ejercicios para controlar el dolor 162
¿Cómo enseñar a mi sensibilidad? 165
Viajes fantásticos 170
Ejercicios de relajación 172
Viaje de depuración 184

CUESTIONARIO 189

Prólogo

ME HE DECIDIDO A ESCRIBIR este libro para informar sobre mis experiencias con el reiki. Desde hace algunos años trabajo como terapeuta con el reiki y otras formas de terapia energética y corporal, además de impartir seminarios de reiki.

El reiki consiste fundamentalmente en transmitir energía vital, es decir, ponerla a disposición de los clientes sin influir en modo alguno sobre esta energía divina. La terapia energética que surgió prácticamente por sí sola mientras trabajaba con el reiki vive de este principio. Sin embargo, va más allá, en el sentido de que, por ejemplo, también puedo desviar y controlar la energía e influir sobre su calidad. Naturalmente, esta forma de proceder exige también disponer de conocimientos muy precisos sobre las posibles reacciones y la forma de manejarlas.

Durante mi trabajo he experimentado maravillosos éxitos curativos y efectos menos agradables de la energía reiki, aunque igualmente admirables. Estos «efectos secundarios» no tan agradables despertaron mi interés. A través de mi maestro de reiki sabía que podía darse este caso, pero no aprendí cómo manejar dichas situaciones. En mi grupo de reiki estos efectos y reacciones también eran ampliamente conocidos, puesto que la maestra de los restantes miembros del grupo los conocía, pero no existía ningún tipo de bibliografía sobre el tema. De forma que comencé a recopilar mis observaciones: tanto en mi consulta como recurriendo a colegas, amigos y alumnos, tanto de otros profesores como los míos propios.

Con mis alumnos y amigos, que conocen las posibles dificultades, he visto que de esta forma también pueden tratarse muy bien canales de reiki comparativamente poco experimentados.

Por contra, he conocido a personas que han comenzado a trabajar con esta energía sin tener suficientes conocimientos al respecto; personas que, en ocasiones, tras escasas semanas han abandonado por completo este maravilloso método curativo porque no eran capaces de manejar las «reacciones» y no recibían apoyo de sus profesores, puesto que tampoco ellos sabían mucho del tema.

Por desgracia, estas «reacciones» muy pocas veces se consideran relacionadas con el reiki; la mayoría de las veces por desconocimiento o por el deseo de difundir únicamente lo positivo y de obviar los «efectos secundarios» de esta energía, y a veces sólo por el hecho de que a muchas personas la «panacea sin efectos secundarios» resulta lo más fácil de vender.

Por lo tanto, se trata en realidad de un libro para escépticos, para personas a las que no les basta que les hablen sólo de luz y amor a lo largo de páginas y más páginas. Es un libro adecuado para cualquiera que no se limite a seguir ciegamente las opiniones de su maestro, sino que también plantee cuestiones críticas y no oculte su incredulidad y sus dudas.

Además, con este libro desearía conseguir que todos puedan agotar íntegramente las maravillosas posibilidades del reiki, y pretendo lograrlo, por un lado, transmitiendo el conocimiento de sus límites, y, por otro, con posturas de terapia, consejos y consideraciones extraídas de mi experiencia personal.

Para alcanzar mi objetivo, en todo caso, espero del lector mucha atención y la disposición para volcarse completamente, en el sentido de sentir empatía y no seguir un camino establecido demasiado trillado.

Este libro trata fundamentalmente del reiki. Los problemas especiales relacionados con el segundo grado, es decir, con la terapia a distancia y mental, se tratarán en un segundo libro. También dejo conscientemente de lado sus combinaciones con piedras preciosas, aromas, flores de Bach y otras terapias igualmente buenas. En todo caso, como durante una sesión de reiki fluye energía a través de cualquier terapeuta, los temas del reiki y la terapia energética no pueden deslindarse nítidamente. Si sabes manejarlas correctamente, y además dominas una o varias terapias diferentes, pueden interconectarse entre sí de manera perfecta.

De acuerdo con la ley, en Alemania sólo pueden emprender tratamientos bajo su propia responsabilidad los médicos y terapeutas. Todas las demás personas encontrarán considerables dificultades si afirman que pueden tratar enfermedades, aliviar dolores o realizar curaciones. Los legos pueden efectuar únicamente sesiones de relajación o armonización que, naturalmente, también tienen efectos paralelos beneficiosos para la salud.

No obstante, en este libro utilizaré la palabra «tratamiento» porque describe con precisión lo que ocurre en el reiki. Igualmente, utilizaré a menudo el concepto «terapeuta» o «responsable del tratamiento». Con ello pretendo no dirigirme únicamente a las personas que cuentan con formación y prestan ayuda profesional, sino también a todos aquellos que satisfacen los requisitos del concepto en su sentido original: traducido literalmente, «terapeuta» significa «compañero» o «servidor».

En aras de la sencillez, utilizo la palabra «cliente» para designar a todos los pacientes, clientes, amigos y compañeros de ambos sexos que se someten a tratamiento.

Dedico este libro a todas aquellas personas que se ocupan en el tema de la curación en el sentido más amplio de término o que se interesan seriamente por el mismo.

La historia del reiki

EL REDESCUBRIMIENTO DEL REIKI comenzó a finales del siglo XIX gracias al doctor Usui, un monje cristiano de Japón. El doctor Usui impartía clases en una escuela monacal. Un día, uno de sus alumnos le preguntó si creía en la Biblia y en todo cuanto en ella está escrito. Él contestó afirmativamente. Acto seguido le preguntó si creía en las curaciones, e igualmente contestó que sí. El alumno no se dio por satisfecho y pensó que tal vez el doctor Usui había experimentado suficientemente con ellas en su vida, y, por lo tanto, creyó que él mismo tenía que experimentarlo también.

Después de esta conversación, el doctor Usui quedó pensativo. Si estas curaciones de las que se informa en la Biblia y en las que él creía eran reales, ¿por qué había en la Tierra tanta enfermedad y padecimiento? Esta conclusión no le parecía lógica.

Este conocimiento lo perturbó interiormente hasta tal punto que al día siguiente abandonó su monasterio y a sus alumnos para partir en busca de la solución. Viajó primero a América para estudiar lenguas muertas. Después buscó en escritos japoneses y, finalmente, dado que su búsqueda había sido infructuosa, en documentos chinos. Nada de ello le satisfizo, puesto que no encontró lo que buscaba.

Después puso rumbo a la India. Deseaba estudiar antiguos documentos indios, puesto que era en la India donde numerosos santos habían recibido sus enseñanzas. En primer lugar, allí tuvo que estudiar el sánscrito, una lengua muerta, puesto que la mayoría de los manuscritos de la época no se hallaban traducidos.

Pero el esfuerzo mereció la pena, ya que, finalmente, encontró apuntes e informes de un discípulo desconocido del Buda que hablaban sobre cómo habían curado Jesús, el Buda y otros santos. Ahora quedaba otro problema: conocía los síntomas y los símbolos, pero aún no podía curar.

Para fortuna nuestra, esto no lo desalentó: retornó a su antiguo monasterio y pidió consejo a su abate. Éste no sabía mucho más del tema, e incluso consideraba peligroso continuar investigando tales secretos.

El doctor Usui no se arredró y decidió retirarse a una de las montañas sagradas del Japón. Allí tenía pensado ayunar y meditar hasta que encontrara la solución. Una vez en la montaña, colocó ante sí 21 piedrecitas, una para cada día, y comenzó a meditar, a cantar y a leer las escrituras. Cuando al vigesimoprimer día, muy temprano por la mañana, retiró la última piedrecita, estaba cansado y hambriento, se hallaba aterido de frío y se encontraba decepcionado porque aún no había sucedido ninguna cosa. Justo antes de abandonar definitivamente, cuando ya no esperaba nada y (tal vez por ello), se encontraba completamente abierto, vio a lo lejos una luz increíblemente clara. Parecía dirigirse hacia él a toda velocidad, y aunque le entró algo de miedo no se movió de donde estaba. La luz lo alcanzó y lo tiró al suelo. Entonces vio, en una sucesión increíblemente rápida, los signos y símbolos que ya conocía por las escrituras. Éstos quedaron grabados a fuego en su memoria y nunca más los olvidaría.

Además, notó que ya no se encontraba cansado ni tenía frío, y se sintió con tanta fuerza y con un bienestar tan grande como los que le habían acompañado antes de iniciar su periodo de ayuno de veintiún días.

Entonces se puso en marcha y bajó de la montaña. Al cabo de un rato tropezó con una piedra tan violentamente que estuvo a punto de arrancarse de cuajo una uña del pie. El doctor Usui se echó de inmediato las manos al pie para mitigar el dolor. Para su asombro, el dolor remitió efectivamente de forma muy rápida y su lesión dejó de sangrar enseguida.

A los pies de la montaña lo primero que hizo fue buscar una posada para recuperar fuerzas después del prolongado ayuno. El posadero le rogó que tomara asiento fuera, a la sombra de un árbol, y que esperara, puesto que tardaría un rato hasta tener preparado algo que el deteriorado estómago del doctor Usui fuera capaz de soportar. Bajo el árbol encontró a la hija del posadero. Tenía las mejillas fuertemente hinchadas y los ojos rojos de tanto llorar. El doctor Usui le pidió que se acercara y le impuso las manos durante un rato sobre los puntos dolorosos. El dolor desapareció de inmediato y la hinchazón también remitió.

De vuelta en el monasterio, el doctor Usui se dirigió a su habitación para recuperarse del viaje. Más tarde fue a ver a su abad para informarle sobre lo que había vivido y experimentado. El viejo abate guardaba cama aquejado de un ataque de gota, y todas las articulaciones le dolían tanto que no podía moverse. El doctor Usui le impuso las manos y también se aliviaron los dolores del abad.

Después de estas convincentes demostraciones de su poder para curar, el doctor Usui se propuso la tarea de compartir con muchas personas sus nuevos dones, y se dirigió al barrio de los pobres y mendigos de su ciudad natal, Kioto.

Allí curó a muchas personas, y a los que eran jóvenes y fuertes les enviaba fuera a que buscaran trabajo. En ese barrio pasó cinco años en la creencia de hacer el mayor de los bienes. Posteriormente se dio cuenta que entre los mendigos había siempre alguno que le resultaba conocido; les preguntó por qué no estaban en la ciudad, en el trabajo. Le contestaron que la vida de mendigos les había gustado mucho, y no tanto el trabajo. El doctor Usui quedó profundamente decepcionado por haber dedicado varios años de su vida a estas personas. Dio la espalda al barrio y decidió ayudar sólo a aquellas personas que realmente se lo pidieran. Además, comenzó a instruir a otras personas en el arte de la curación.

La historia continúa ininterrumpidamente pero para nosotros la parte importante empieza aquí. El hecho de que el doctor Usui no sólo tratara a las personas, sino que comenzara a instruirlas en la terapia que había redescubierto, hizo que el reiki se extendiera como un reguero de pólvora por todo el planeta y que hoy día podamos seguir transmitiendo este regalo.

Introducción

REIKI SIGNIFICA, traducido del japonés, energía vital (ki) inagotable (rei).

Esta energía aporta vida en la Tierra a las personas, los animales y las plantas. Penetra todos los materiales conocidos hasta la fecha, y en canales reiki experimentados ejerce su efecto, independientemente del tiempo y el espacio.

Esta energía tiene múltiples nombres, pero es la misma en todo el mundo. Los hindúes la llaman «prana», los chinos «chi», y los seguidores de Wilhelm Reich la denominan energía «orgón». Asimismo, existen innumerables métodos más o menos logrados de aprovechar esta energía. Wilhelm Reich construyó los denominados acumuladores de orgón, en los que se concentra la energía. Hoy día también pueden comprarse placas de color púrpura con efecto similar, e incluso la energía de las pirámides no es en principio otra cosa que energía vital en estado ligado.

En el método que con el paso del tiempo se ha ido imponiendo con el nombre de «reiki», mediante cuatro iniciaciones que el maestro de reiki efectúa con determinados rituales, el chakra de la coronilla del alumno se abre a esta energía y, representado gráficamente, se crea un canal hacia las manos. Por ello a quien trabaja con reiki se le denomina «canal» o «canal reiki».

Durante la iniciación, el alumno no debe hacer nada, ni siquiera mantener una determinada actitud espiritual, puesto que las cosas sencillamente ocurren en él. Por lo tanto, como alumno, no es necesario estar particularmente abierto ni tener una voluntad especial para que surta efecto; si la iniciación es correcta, funciona siempre.

No obstante, esto no significa que todos los alumnos sientan lo mismo, ni que en todos ellos la energía fluya de inmediato con igual intensidad. Algunos no notan nada ni durante las iniciaciones ni en las primeras semanas del tratamiento, porque primero es necesario entrenar los sensores para estas percepciones. En cualquier caso, si las personas tratadas no sienten absolutamente nada, recomiendo consultar a alguien con mucha experiencia en reiki si la iniciación se ha hecho de modo correcto y si el reiki está fluyendo realmente (ver también el capítulo «¿Cómo puedo encontrar el maestro de reiki adecuado para mí?»).

El canal que el maestro de reiki abre mediante el ritual permanece durante toda la vida. Puede hacerse más intenso mediante la práctica o, de no utilizarlo, más débil. Y también puede activarse completamente después de varios años mediante unos sencillos ejercicios de reiki.

A través de este canal toda persona tiene posibilidad de darse energía a sí misma o de darla a otras personas, sin que el terapeuta pierda nada de su propia energía. En efecto, a través de este canal fluye sólo energía reiki pura; e incluso cuando alguien esté, por ejemplo, de mal humor, sólo transmitirá energía pura. Pero, olvidándonos del reiki, todos seguimos siendo personas, y yo mismo sólo dejaría que me tocase una persona de mal humor en caso de emergencia.

Con demasiada frecuencia sucede que un terapeuta tiene mucha menos energía que el cliente, de forma que, de hecho, se produce un reducido flujo de energía en el sentido «equivocado». Esto ocurre más a menudo en las relaciones de pareja cuando ambos miembros de la misma están muy estrechamente ligados entre sí, y no está claramente definido quién de los dos podría necesitar el tratamiento. Pero esta situación es un problema específico de esta relación de pareja que no tiene demasiado que ver con el reiki.

Por desgracia, el único criterio aplicable a tales casos es el propio sentimiento; o bien sientes que después de un tratamiento te encuentras mejor, o bien has desarrollado la suficiente sensibilidad para reconocer en qué sentido fluye la energía.

Si esto ocurre con cierta frecuencia en una relación cliente-terapeuta, el terapeuta tiene que solicitar a alguien que le supervise para poder seguir ayudando a su cliente.

En la escuela tradicional de reiki la primera apertura del canal mediante las cuatro iniciaciones indicadas se denomina el «primer grado». En general, la formación necesaria para ello dura un fin de semana.

En el «segundo grado», que presupone al menos unas semanas de trabajo con el primer grado, otro ritual aumenta la energía y el alumno recibe la posibilidad de efectuar tratamientos a distancia y terapias mentales. El tercer grado es simultáneamente la formación para ser profesor, que a su vez va emparejada con un flujo de energía considerablemente mayor y que debería realizarse por lo menos después de tres años de trabajar con reiki. En un segundo libro sobre el segundo grado daré más detalles al respecto.

Algunos de mis alumnos me han informado que con anterioridad ya habían hecho imposiciones de manos, pero que luego de transcurrida media hora se sentían como exprimidos. Después de su iniciación, desde el primer tratamiento notaron que trabajaban con la energía cósmica y no con su propia energía. Debido a ello, más tarde ya no se sentían agotados, sino revitalizados por el flujo de energía que les atravesaba durante la sesión.

Cuando a alguien le suceda que a continuación de impartir un tratamiento tiene una sensación de falta de energía, está de mal humor o siente cualquier otra cosa desagradable, puede afirmarse que algo no ha funcionado correctamente. Más detalles al respecto pueden consultarse en el capítulo dedicado a los «efectos secundarios».

Muchas veces me han preguntado si el reiki fluye siempre de por sí o si es necesario concentrarse en él. De hecho, el reiki fluye tan pronto como se toca a alguien, pero no lo hace con tanta intensidad como cuando se realiza un tratamiento «correcto». Desempeña un papel fundamental aceptarlo; aun cuando la energía fluye con cualquier contacto, las reacciones no se sienten indefectiblemente. Puede llamarte la atención que te resulte particularmente agradable que un canal reiki te tome en brazos y que te abrace, o que después te sientas particularmente afectado.

¿Qué ocurre realmente con un tratamiento reiki?

Mediante la transferencia de energía vital, la persona en su totalidad se encuentra estimulada para vibrar en un plano superior.

En el plano corporal significa que todos los órganos comienzan a trabajar mejor. Con frecuencia este hecho se manifiesta mediante una fase de depuración en la que la orina se vuelve más oscura, el sudor puede presentar un olor más intenso durante algunos días, o pueden producirse otros efectos (ver el capítulo «Reacciones»).

En el plano psíquico, las repercusiones son similares, pero la depuración a menudo se manifiesta mediante intensas explosiones de sentimientos o por sueños más intensos.

En el plano espiritual, las personas que entran por primera vez en contacto con el reiki suelen evolucionar a grandes pasos. Las cosas que se habían abandonado sin solucionar durante largos periodos se retoman repentinamente con nuevo empeño. En los capítulos «Reacciones» y «Efectos secundarios» incidiré en mayor profundidad sobre los fenómenos que pueden ocurrir en las personas tratadas con reiki o en las personas que han sido iniciadas y que efectúan terapia sobre otras.

Uno de los efectos principales de la energía reiki estriba en que intensifica y mejora la unión entre cuerpo, alma y espíritu, entre sentimiento y razón, entre lo inconsciente y lo consciente.

Este tipo de efecto hace que el reiki sea aplicable de forma casi universal. Naturalmente, mediante el reiki no se cura automáticamente cualquier enfermo. Estar sano, tener salud, equivale a tener salud en todos los planos. Esto significa que cuando una persona debe superar una grave enfermedad física, para alcanzar la curación debe trabajar los temas correspondientes también en los otros planos. Dado que el reiki actúa holísticamente, hay que dirigirse y estimular simultáneamente los planos físico, psíquico y espiritual.

Indicaciones

EN PRINCIPIO, EL REIKI PUEDE APLICARSE sin restricciones, incluso en enfermedades físicas muy graves.

Naturalmente, las enfermedades más benignas exigen un periodo de tratamiento mucho más corto y tienen posibilidades de curación considerablemente mayores, puesto que con las enfermedades muy graves (por ejemplo, el cáncer), si bien se estimula el médico que llevamos en nuestro interior y, por tanto, las energías de autocuración del cliente y se depura intensamente el cuerpo, también las resistencias internas son mayores y existe en el cuerpo un mayor número de toxinas que deben ser expulsadas.

Yo mismo he experimentado que hay personas que ponían fin a un tratamiento que había comenzado con grandes perspectivas de éxito cuando sentían qué hábitos y actitudes de vida tenían que abandonar en el curso del proceso de curación, con independencia de si dichos hábitos les resultaban agradables o desagradables. Algunas personas prefieren morir a abandonar las sendas que han transitado de forma tan persistente.

La mayoría de las veces, un terapeuta de reiki con experiencia percibe bajo sus manos profundas intuiciones sobre la vida de las personas. En ocasiones cree saber con precisión lo que alguien debería hacer para sanar. Aun cuando sea cierto, lo que sucede a menudo, en último término, siempre depende de la decisión del cliente.

Sobre los problemas psíquicos incidiré con mayor profundidad en el capítulo titulado «Contraindicaciones».

Pasemos ahora a las indicaciones en el que el reiki cura o mitiga las dolencias con gran fiabilidad:

Dolores de todo tipo (incluyendo, por ejemplo, dolores producidos por el cáncer), son algunas de ellas. Aquí hay que tener en cuenta la peculiaridad de que los dolores pueden intensificarse aparentemente, durante unos pocos segundos si se trata de una lesión mínima, hasta incluso varios días en el caso de una enfermedad crónica (ver «Reacciones al reiki»).

La **falta de energía**, tanto causada por enfermedad como por sobrecarga aguda o falta de sueño, también responde bien al reiki; y en el caso de falta de sueño, naturalmente, sólo puedo recomendarlo con ciertas restricciones, puesto que la fatiga que surge a consecuencia de ello es en último término una reacción sana.

A diferencia de lo que ocurre con otras muchas terapias, puedes tratar sin reticencias a las mujeres embarazadas, puesto que no existen hiperreacciones indeseadas relacionadas con el embarazo. Como es natural, deben observarse con precisión las reglas normales del reiki, al igual que en los demás casos (ver el capítulo «Efectos secundarios»).

Los **fetos** aprecian extremadamente la energía reiki, lo que con frecuencia se manifiesta mediante claros movimientos en el seno materno. Además, el reiki frecuentemente da a la madre o al padre la posibilidad de tener un contacto más intenso con el niño antes del nacimiento.

Por lo general, con el reiki puede entusiasmarse rápidamente a los **niños**, tanto cuando tengan lesiones pequeñas, enfermedades, morriña o preocupaciones de otro tipo, como cuando en realidad estén completamente sanos. En los niños la absorción natural del reiki no está tan sepultada como en los adultos, por lo que no les asusta. Así se explica el que a veces los bebés sanos te den a entender que no necesitan reiki, puesto que absorben suficiente del cosmos. Si sientes que un niño pequeño sano no absorbe reiki, en un caso normal puedes presuponer que recibe suficiente amor de su entorno.

El **estrés y el nerviosismo excesivos**, y en general también la incapacidad de relajarse, pueden tratarse de forma excelente con el reiki. Algunas personas experimentan incluso en su primera sesión una profunda relajación cómo nunca antes habían experimentado en su vida.

El reiki es excelente también como **sedante para conciliar el sueño**. Además, gracias al efecto relajante, a largo plazo puede influir beneficiosamente sobre la tensión sanguínea elevada.

Las **conmociones agudas** tanto desencadenadas por accidentes como por situaciones de pánico extremo, así como todo aquello que puede trastornar el cuerpo energético del hombre, son absorbidos muy rápidamente por el reiki en casi todas las ocasiones.

Las **deficiencias inmunitarias**, ya sean durante una enfermedad aguda o con carácter general y con la consecuencia de enfermedades crónicas permanentes o recidivantes, pueden tratarse muy bien con el reiki.

Mediante los tratamientos de reiki es frecuente que la **tristeza no asimilada** aflore al consciente y puede manifestarse y experimentarse. Aun cuando las personas que llevan luto suelen decir que ya han llorado bastante, evidentemente el llanto también tiene un efecto liberador si va acompañado del reiki, puesto que en el caso ideal se halla presente una persona que compadece auténticamente. Con bastante frecuencia gracias a él se disuelven bloqueos físicos o psíquicos que han durado años.

Contraindicaciones

AS CONTRAINDICACIONES pueden dividirse en dos grupos.

Contraindicaciones que dependen del terapeuta

En primer lugar, hay una pregunta que deben plantearse todas las personas que se ocupan de la curación en el sentido más amplio: ¿hasta qué punto soy capaz de hacer una estimación adecuada de lo que necesita la persona que busca ayuda?

Éste es un problema importante precisamente en el reiki, puesto que muchos canales reiki no provienen de profesiones médicas y, por tanto, no tienen experiencia. De ahí que todo terapeuta que tenga dudas o que se vea acosado por la duda durante el tratamiento debe recabar el consejo de un terapeuta más experimentado. Para médicos, terapeutas profesionales y otras personas que desarrollan su actividad en el ámbito sanitario debería ser algo evidente; para los legos en la materia significa que, en caso de incertidumbre, hay que consultar siempre o incorporar al tratamiento a un médico o un terapeuta profesional.

Asimismo, el terapeuta debe preguntarse lo siguiente: ¿soy capaz de manejar las reacciones de la persona que recibe la terapia? (Ver también el apartado «Reacciones al reiki»).

La experiencia demuestra que aquí aparecen frecuentes problemas, salvo que se trate del tratamiento de enfermedades psíquicas. En este caso, con frecuencia se necesita una gran cantidad de experiencia para evaluar correctamente las reacciones.

Contraindicaciones que dependen del cliente o de la enfermedad

Con carácter general, puede afirmarse, que en calidad de lego en la materia, no deberías aplicar el reiki cuando existan alteraciones psíquicas graves. Por ejemplo, para un psicoterapeuta que sí tenga experiencia en el tratamiento de tales clientes, el reiki puede ser de gran ayuda. Pero incluso un terapeuta experimentado debería ser muy cauteloso con el reiki en el caso de enfermedades psicóticas.

También se da el caso de personas que realmente necesitan ayuda pero para quienes en ese momento el reiki no es lo correcto. Por ejemplo, para personas muy abiertas que han debilitado su contacto con el mundo «material-real» o que lo han perdido parcialmente. No me estoy refiriendo a las personas que sueñan despiertas, sino, por ejemplo, a quienes han meditado demasiado o erróneamente o que han estado en muchos seminarios esotéricos más avanzados del estadio de evolución en que se encuentran. Esas personas es posible que fantaseen de todo tipo de experiencias posibles y que, incluso a primera vista, parezcan sabios. Pero si observas su vida diaria, y la forma que tienen de afrontar los problemas cotidianos, se manifiesta claramente que esas personas no se las arreglan tan bien en el plano práctico, completamente profano, como podría hacernos creer la primera impresión. Con frecuencia, esas personas han experimentado mucho y no han recibido la enseñanza correcta sobre cómo pueden integrar en su vida cotidiana todas sus vivencias (ver ejemplo en el capítulo «Sobrecarga»).

El reiki podría ser entonces una experiencia más que sólo podrían integrar con ayuda de un terapeuta que cuente con la formación adecuada.

Además, con frecuencia ocurre que el reiki hace pasar al plano consciente, para su procesamiento, tal cantidad de vivencias relegadas a un segundo plano que resultan excesivas para el cliente. Y esto puede suceder incluso sin que el cliente lo note o sin que quiera percibirlo. En tal caso, una situación semejante exige un terapeuta sensible que pueda dedicarse una hora entera a escuchar para ayudar a digerir estas historias. Con frecuencia es suficiente una participación auténticamente amorosa sin ningún tipo de juicio o evaluación de lo que se ha narrado.

Para las personas de edad existe una limitación: con frecuencia les basta con veinte o treinta minutos, pero no se atreven a interrumpir la sesión. Esto se debe a que las personas, a medida que tienen más edad, han bloqueado en su interior el flujo de la vida, hasta tal punto que comienzan a ser presa del temor cuando vuelven a sentirlo. Aun cuando ése es el auténtico sentido del tratamiento, en esos casos es mejor preguntar si continúan sintiéndolo como algo agradable. De esta forma, se consigue que al cliente le resulte más fácil dar por concluida la sesión en ese momento. De lo contrario, puede suceder que rehúse acudir a la siguiente sin que conozcas los motivos.

No obstante, hay una regla que es particularmente importante para el segundo grado en el tratamiento a distancia: no dar nunca reiki durante una intervención quirúrgica.

Podría suceder, que debido al tratamiento, el paciente desarrolle tanta resistencia que la anestesia deje de ser suficientemente fuerte, con lo cual el paciente puede despertarse. Por un lado, esto puede desencadenar un susto violento, y, por otro, puede tener como consecuencia que sea necesario aplicar dosis de anestesia mayores. Por el contrario, justo después de una intervención quirúrgica sí tiene sentido dar reiki, puesto que los pacientes despiertan con más facilidad y más rapidez y se eliminan mejor las toxinas de la anestesia.

De vez en cuando he oído hablar acerca de una regla según la cual no debe darse reiki en la zona del corazón porque puede liberar demasiada energía o incluso dañar el corazón. Según mi experiencia y mis conocimientos de la energía reiki, cualquier persona puede tratarse el corazón tanto como desee. No conozco ni un sólo ejemplo en el que ello haya tenido reacciones negativas de ningún tipo.

Voy a apuntar otro aspecto que, si bien no puede considerarse directamente como contraindicación, encaja perfectamente en este capítulo.

Es frecuente que en una terapia con reiki aparezca el problema de que un cliente experimenta una mitigación de sus dolencias en todas las sesiones, pero que acuda a la siguiente sesión de terapia con los mismos síntomas y quejas. Como terapeuta, puede que conozcas también las razones que subyacen al proceso de la enfermedad, que incluso tengas alguna idea sobre lo que el cliente debería cambiar para lograr una curación más duradera. Tal vez se trate de las condiciones de vida generales, de la alimentación o comportamientos que el terapeuta puede considerar neuróticos.

Por desgracia el cliente no quiere saber nada de ello y prefiere continuar las sesiones, que a la larga son agradables. De esta forma mata tres pájaros de un tiro: se libera relativamente de las dolencias, recibe una dedicación intensiva y no necesita cambiar.

Según mi experiencia, en la mayoría de los casos esto funciona durante un buen tiempo. Pero, no obstante, en cualquier momento el aburrimiento puede hacer presa en el terapeuta. Puede quedar insatisfecho, incluso volverse furioso con su cliente, sin saber exactamente por qué. Probablemente esto le originará sentimientos de culpa, y en último término, puede quedar enredado en una maraña de sentimientos propios que eventualmente sólo podrán disolverse mediante una conversación aclaratoria. Todo ello puede reprimirse perfectamente durante un determinado periodo de tiempo, pero después habrá que cambiar algo en esa relación para que el terapeuta continúe siendo auténtico y la terapia no desemboque en un punto muerto.

Por otro lado, en los estadios finales de enfermedades graves a veces puede aflorar el sentimiento de que durante un tiempo prolongado no se avanza, e incluso de que hasta la muerte del cliente los progresos son mínimos y de que el terapeuta se limita realmente a mitigar el dolor.

Eso es totalmente correcto. El punto que me importa es la autenticidad del terapeuta. Tan pronto como tengo el sentimiento de consumirme como una aspirina y de encontrarme insatisfecho debo tomar alguna medida.

Con frecuencia es suficiente hablar con toda claridad con el cliente y que en la conversación salga a colación o se le haga sentir al mismo el miedo que siente a cambiar algo. Aun cuando después no haya aparentemente nada que en el trabajo cambie de forma fundamental, se ha restablecido el contacto entre cliente y terapeuta. Suficiente para seguir progresando.

Sólo cuando el terapeuta tiene la sensación de no liberarse del aburrimiento durante las sesiones y de no poder establecer contacto con el cliente debería considerar la posibilidad de enviar el paciente a otra persona. A la larga, continuar el tratamiento sería autoengañarse. Y con ello al cliente sólo le haría un favor, como mucho, a corto plazo, puesto que ya no lo aceptará completamente tal como es. Al hacerlo no se interrumpe el flujo de reiki; sólo se restringe su efecto profundamente curativo y favorecedor del desarrollo.

Interacciones con medicamentos y otras terapias

BÁSICAMENTE, EL REIKI PUEDE combinarse bien con todas las formas de terapia, tanto si son tratamientos naturales, terapias medicamentosas de la medicina académica o psicoterapias.

Lo importante es, en todo caso, no perder de vista el camino que sigue el reiki.

A los principiantes a veces les resulta difícil comprender lo que sucede durante un tratamiento reiki. Como ya hemos mencionado, puede suceder, por ejemplo, que emerjan antiguos problemas «olvidados», a veces con tanta intensidad que resulta muy difícil relegarlos a segundo plano. Junto con una terapia de apoyo y descubrimiento, en la que tendrás que aportar consejo si el cliente no puede procesar por sí mismo de forma satisfactoria los problemas emergentes, no supone dificultad alguna. Con la palabra «de apoyo» me refiero tanto a un tratamiento medicamentoso (por ejemplo, un fortalecimiento del sistema inmunitario) como a una buena psicoterapia.

Y a la inversa: puede ser que el reiki contrarreste medidas represoras dado que desea alcanzar una curación holística de cuerpo, espíritu y alma.

Por ejemplo, he experimentado cómo después de varios tratamientos de reiki un remedio de efecto muy fiable y rápido como el válium (un sedante muy fuerte) necesitaba varias horas para ejercer su efecto en lugar de la media hora acostumbrada. Gracias al reiki, las razones que subyacían a los problemas habían pasado a la conciencia de tal forma que las pastillas de válium necesitaban un tiempo considerablemente mayor para relegar de nuevo los problemas al subconsciente. En cualquier caso, entonces era relativamente sencillo reactivar y procesar estos contenidos conscientes reprimidos, haciendo, por tanto, innecesaria su represión medicamentosa.

Por lo tanto, en algunos casos el reiki puede actuar muy bien como preparativo para una psicoterapia en profundidad.

Lo mismo puede decirse de las psicoterapias condicionantes.

Por ejemplo, es perfectamente posible que mediante una terapia comportamental una persona «tome las riendas» de su miedo a las arañas. Pero es posible que cuando este cliente vuelva a ser tratado con reiki reaparezca la aracnofobia. Esto significa que el tratamiento reiki actúa en el sentido correcto, en concreto en contra de la represión. Si se continúa el tratamiento con el reiki, al cabo de un tiempo podrá disolverse la fobia, y el miedo original al que apunta simbólicamente la aracnofobia podrá pasar al plano consciente y hacerse accesible al procesamiento.

Aun cuando casi todos los maestros de reiki defienden la opinión de que con el reiki únicamente pasa lo que el universo ha previsto, esto no quita al terapeuta la responsabilidad sobre aquello que hace.

Para mí esto significa que no hay que ocultar al cliente el efecto probablemente esclarecedor del reiki, sino hablar con el cliente sobre ello o, en caso de que él sea quien nos informe, confirmarle que el reiki, efectivamente, puede desencadenar estos fenómenos.

Aquí la situación no depende de si en calidad de terapeutas defendemos o rechazamos medicamentos o terapias de apoyo, sino de que el cliente esté informado y decida por sí mismo lo que desea para el futuro.

Abuso del reiki

En manos de la persona equivocada el medio correcto actúa de forma equivocada.

Proverbio chino

NATURALMENTE, AL IGUAL QUE TODA TERAPIA eficaz, el reiki no está protegido de forma automática contra el abuso, sea consciente o inconsciente.

Por fortuna, el abuso consciente es bastante infrecuente y sólo es realmente desagradable con el segundo grado. Por desgracia, muchos continúan discutiendo aún la posibilidad de transferir pensamientos negativos con el reiki. Pero del hecho de que lo anterior funciona realmente debe deducirse que durante la formación para obtener el segundo grado el maestro de reiki debe prestar especial atención a que sus alumnos utilicen únicamente formulaciones positivas durante el aprendizaje de lo que se denominan afirmaciones. En realidad, el inconsciente humano no percibe negaciones. Por ejemplo, si se dice «ya no tienes mal humor», el subconsciente sólo escucha «mal humor» y reacciona en consecuencia. De igual forma, cualquier persona con el segundo grado puede enviar a otra mal humor de forma consciente, tristeza o cualquier otro pensamiento negativo. En cualquier caso, esto no ocurre con frecuencia, puesto que, después de un tratamiento negativo, al emisor suele irle tan mal como al receptor. En este libro no incidiré con mayor detalle en los tratamientos mentales.

Si tienes la sensación de ser víctima de tales campañas, lo mejor sería que hablaras con quien las realiza y trates de solucionar de esta forma los problemas que se presenten. Si ello no es posible o no sabes de quién proviene el ataque, puedes protegerte muy bien con el ejercicio llamado «huevo dorado» (ver el apartado «Ejercicios»).

Por esta razón, a la hora de seleccionar sus alumnos para obtener el segundo grado, un maestro de reiki debería ser algo más crítico y, en caso de duda, mantener una larga conversación previa para dilucidar los intereses de cada uno.

Sin embargo, ocurre con mucha mayor frecuencia que se «abuse» del reiki con la mejor de las intenciones. Algo que puede producirse de diversas formas.

Reiteradamente resulta difícil ver cuál es la mejor forma de ayudar realmente a tu cliente: cuando alivias sus dolores o problemas, ¿estás realmente quitándole de la forma más rápida posible sus dolencias agudas, o estás impidiendo únicamente una fase de aprendizaje que es necesario atravesar?

En modo alguno pretendo que toda persona sepa exactamente reconocer el camino vital de su cliente y apoyarlo mediante el tratamiento, pero quisiera aducir un ejemplo para explicarlo.

A mi consulta vino una mujer joven porque no podía tener hijos. Vivía con su amigo desde hacía dos años y querían casarse. Al conversar con ella, además de la falta de hijos afloraron otros problemas de envergadura considerablemente mayor. Primero comenzamos a tratar sus problemas mayores. En el transcurso de la terapia se separó de su amigo y después se hizo absolutamente evidente lo inconveniente que habría sido en realidad que hubiera tenido un hijo.

Si un terapeuta se hubiera concentrado exclusivamente sobre el problema del deseo de tener hijos, probablemente ella habría tenido uno, aun cuando el momento no era el oportuno.

Esto se aplica más intensamente a los tratamientos con el segundo grado. Puesto que se puede ejercer una influencia más dirigida, es cierto que aumenta la eficacia, pero naturalmente también la posibilidad de cometer errores. Si en tales casos tienes dudas, lo mejor es emprender primero varias terapias básicas sin un objetivo determinado. De esta forma estarás bastante seguro de alcanzar a la persona al completo y, por lo tanto, todos los aspectos de su personalidad. Además, en calidad de terapeuta esto te hace tener una imagen más amplia de tu cliente y podrás analizar mejor lo que realmente necesita cada uno.

Justo después de ser iniciado como maestro, experimenté en mis propias carnes lo fácil que es cometer errores con el reiki:

Tenía dos días libres y quería ir en bicicleta a visitar a mi hermana. Como me entretuve haraganeando un poco, no salí hasta las cinco de la tarde y tenía ante mí ochenta y cinco kilómetros contra el viento. Mi entrenamiento no era especialmente el idóneo, pero confiaba en mi perseverancia. Por desgracia, de repente el día se puso frío y al cabo de poco tiempo me empezaron a doler las rodillas, aun cuando nunca antes había tenido problemas con ellas.

Entonces me di reiki en las rodillas durante unos minutos, los dolores desaparecieron y continué pedaleando. Eso sucedió algunas veces más, pero a distancias cada vez menores y con dolores cada vez más fuertes. Por fin llegué a casa de mi hermana, que me dio una bebida caliente y además mucho reiki para mi rodilla. Pero, por desgracia, las había sobrecargado tanto que durante todo el día siguiente tuve mucha dificultad para dar un solo paso, y por la tarde regresé en tren. Incluso varias semanas después de este incidente tuve que prestar especial atención a la sobrecarga de mis rodillas para que volvieran a sanar por completo. Si hubiera escuchado los consejos de mi hermana y hubiera dejado que me recogiera en casa, me habría ahorrado todo esto.

El hecho de que fuera precisamente mi rodilla el punto que demostró ser más débil, además de estar relacionado con el pedalear en bicicleta bajo un viento frío, guardaba relación con mi iniciación para maestro de reiki días antes; mi contacto con la tierra aún no se había restablecido de forma completa, y además la rodilla está relacionada con la sumisión: yo pensé que con las nuevas energías adquiridas podía hacer todo cuanto quisiera.

La segunda posibilidad de abusar inconscientemente del reiki es tratar a alguien que no quiere la ayuda. Es indiferente que esa persona sencillamente «no cree en el reiki» o que considere que sus problemas no pueden solucionarse, o que tenga cualquier otra razón para rechazar una terapia. Se trata sencillamente de que nadie tiene el derecho de cambiar a alguien que no desea ser cambiado.

Este problema es perfectamente conocido con el nombre de síndrome del ayudante solícito. Lo mejor es que acates la siguiente regla:

Trata sólo a quien te lo pida

Naturalmente, puedes ofrecer un tratamiento, pero en ningún caso imponerlo o rogar a alguien que se deje tratar porque crees que tienes que ayudarle. En el caso de que desees practicar y de que lo digas honradamente, como es natural, está permitido solicitarlo.

Con el segundo grado y la posibilidad de hacer tratamientos a distancia es especialmente fácil caer en la tentación de dar un tratamiento que no se ha solicitado. A veces esto está incluso permitido, pero para ello es necesario un sexto sentido bien entrenado. Puedes preguntar directamente al alma de esa persona si desea reiki. Si recibes una contestación negativa, debes contenerte cueste lo que cueste. Con toda evidencia, no es el momento para que en esa persona cambie algo ni para que experimente un alivio.

En calidad de terapeuta traté a una señora mayor que estaba gravemente enferma y atada a su silla de ruedas. Además de otras terapias le apliqué reiki. En la quinta sesión (que ella me había solicitado expresamente) hice caso a mi intuición y pregunté al alma de la señora si podía y debía ayudarla. Al obtener una respuesta claramente negativa retiré mis manos de ella y se lo conté. Con una asombrada y alegre sonrisa me dijo: «El que habla es mi demonio de la guarda.»

Sólo cuando le dije lo que había experimentado fue capaz de aceptar que realmente quería permanecer como estaba. Su alma podía disfrutar este amor, pero para su personalidad no era el momento oportuno de cambiar.

Otra causa de que caigas fácilmente en la tentación de imponer el reiki a otras personas consiste en que es muy agradable dar reiki. No pretendo afirmar que el reiki produzca dependencia, pero cuando te has acostumbrado al flujo de energía que atraviesa al terapeuta durante un tratamiento, se desea sentir dicho flujo y vivir en un nivel de energía superior. Dependiendo del grado de consciencia con el que te trates a ti mismo, tal vez no seas capaz de notar que deseas tratar a otras personas precisamente para disfrutar de este flujo de energía.

Si sientes un fuerte impulso de tratar a otras personas pero durante un tiempo prolongado el entorno no reacciona como corresponde, es decir, no se encuentran suficientes «víctimas», deberías considerar con más detenimiento tus propios motivos y a ti mismo. La mayoría de las veces hay algo importante que se interpone en el camino hasta que «tengas derecho» a efectuar el tratamiento. En caso de duda, una autoterapia consecuente podrá aclararte el asunto. Durante la misma se produce exactamente el flujo de energía deseado, pero adicionalmente, al ocuparte de ti mismo, obtendrás intuiciones y visiones que no tienen por qué ser necesariamente agradables. Por ejemplo, quizás podría surgir el sentimiento de que en tu más profundo interior prefieres recibir que dar, algo que hasta entonces no querías confesarte para soslayar la tristeza de no recibir nunca suficiente.

Sin embargo, si a la larga quieres prestar buenos servicios con este método terapéutico, lo mejor es que no realices este trabajo centrándote en ti mismo.

¿Cómo puedo encontrar al maestro del reiki «correcto» para mí?

AL IGUAL QUE OCURRE con todos los negocios lucrativos (el reiki se cuenta entre uno de ellos) por desgracia últimamente han proliferado algunos estafadores, tanto canales de reiki, que aquí nos interesan menos, como maestros. Dado que no existen criterios oficiales, para un lego en la materia es bastante difícil reconocer a un estafador habilidoso.

En primer lugar, esta gente suele tener grandes conocimientos sobre el reiki y pueden aportar buenos argumentos o saben venderse, y además son capaces de poner algo en movimiento aun cuando no proceden a realizar una iniciación completa ni correcta, y a veces incluso totalmente imaginaria. Como la energía vital está en estado latente en todas las personas, siempre puede estimularse de diversas formas, aun cuando nadie tiene derecho a ofrecerlas como iniciación al reiki.

En el pasado yo mismo he realizado algunos experimentos (coronados por el éxito) con ayuda de viajes fantásticos, ejercicios de visualización y sugestiones para estimular la energía vital y dirigirla hacia las manos; pero en todo caso la iniciación tradicional al reiki es la más eficaz y pura que conozco.

Además por desgracia, también existen maestros que están correctamente iniciados pero que por desconocimiento o dejadez, cometen errores en las iniciaciones.

Tradicionalmente, en el proceso de búsqueda hay que tener en cuenta que existen maestros que dan una impresión muy honrada y muy concienzuda pero que tal vez no hayan sido correctamente iniciados por sus maestros. Entonces se podrá disfrutar de un hermoso fin de semana, pero el efecto deseado del reiki no se desplegará íntegramente.

En mi trabajo como maestro me he encontrado con ambos tipos: el estafador premeditado y el maestro con falta de conocimientos.

La Alianza Reiki, una asociación de maestros de reiki, ofrecía hasta ahora al menos la garantía de que no se caía en manos de un estafador, puesto que se exigía a todos los miembros la certificación de una genealogía de maestro hasta el doctor Usui. Por desgracia, en el momento en el que escribo este libro la dirección está considerando la posibilidad de aceptar en la Alianza también a maestros reiki sin una línea ascendente certificada. Entonces, esta seguridad última dejaría de existir. En ese caso, no puedo dar ninguna recomendación segura en este sentido.

Después existe también la técnica de radiación que también invoca el nombre del doctor Usui y que llama «reiki» a su método. En esta técnica existen siete iniciaciones, argumentadas por el hecho de que en caso contrario la evolución sería demasiado rápida y los alumnos se verían sometidos a exigencias excesivas. En este libro queda palpablemente claro por qué no comparto esta opinión.

Entretanto, han surgido también otras pequeñas organizaciones. La mayor de ella es la RAI, cuyos miembros no tienen ninguna vinculación directa con el doctor

Usui e invocan visiones del que denominan su Gran Maestro. Su energía es más débil, y algunos de sus maestros han sido posteriormente iniciados por la Alianza.

Además, existen muchos maestros que, como en mi caso, no pertenecen a ninguna organización. Todo ello no dice nada sobre la calidad de su trabajo.

Con mucha frecuencia se plantea la pregunta de por qué el reiki tiene que ser tan caro. Inicialmente existía la regla de que el primer grado costaba el salario de una semana, el segundo el salario de un mes y el agrado de maestro el salario de un año. Por lo que respecta al valor del reiki, yo lo considero adecuado; la Alianza Reiki tiene precios fijos que aproximadamente se corresponden con este orden de magnitud. Naturalmente, cada maestro tiene libertad para cobrar sus propios precios. En cualquier caso, soy escéptico con quienes ofrecen básicamente precios de *dumping*, en particular cuando afirman que lo ponen más barato para que no se convierta en un negocio. Creo que casi siempre estos maestros tienen muy pocos alumnos y tratan de captar más por este medio. A veces, la valía del reiki queda así en entredicho.

Un maestro debería tener la libertad de regalar parcial o totalmente la iniciación a aquellas personas que realmente tienen muy poco dinero cuando tenga la sensación de que dichas personas pueden apreciar tal obsequio.

Basándome en mi experiencia con el reiki, tengo algunas posibilidades de comprobar si alguien ha sido iniciado de forma correcta y completa. Naturalmente, para los legos resulta difícil hacerlo, por lo que a continuación resumo todos los criterios necesarios para seleccionar un maestro que he podido encontrar y que considero correctos.

Un maestro reiki debería saber en qué generación del doctor Usui se encuentra; es decir, ser capaz de nombrar a todos los maestros que se encuentran entre él y el doctor Usui.

En cualquier caso, es aconsejable una recomendación de amigos. Lamentablemente esto no es una garantía absoluta de que el maestro sea del todo correcto. Habitualmente los alumnos de un maestro no conocen otro, y casi siempre están convencidos de su valía. No obstante, cuando los alumnos llevan algunos años con ese maestro y tienen la sensación de que en ese tiempo han logrado algo en sus vidas sin tener que encontrarse permanentemente en el séptimo cielo, se debería confiar en dichos maestros.

No todas las personas experimentan flujo de energía o algo parecido durante las iniciaciones. Por lo tanto, esto no debería utilizarse como criterio.

En cualquier caso, después de recibir el primer grado, toda persona debería sentir en sus manos algo durante los tratamientos, y recibir también algo de *feedback* de los clientes que les informe que había algo que sentir. Si después de muchos tratamientos no ocurre esto en algunos clientes, es evidente la sospecha de que la iniciación no fue correcta. Yo mismo he tenido algunos alumnos que en las primeras semanas no han sentido nada, pero que al menos algunos de sus clientes han informado de reacciones durante la terapia, y también de un efecto perceptible.

Puede dudarse tranquilamente, pero ello no interrumpe el flujo de reiki. En cualquier caso, es mejor que rondar durante años con un sentimiento subliminal de que algo no va bien. Por desgracia, en los grupos predomina con frecuencia una «coerción de grupo», a veces alimentada por el maestro, que preestablece que todos deben sentir algo. De esta forma las dudas se ahogan en estado embrionario y no son percibidas realmente por los participantes. Cuando me encuentro con personas que practican el reiki y nunca han dudado (¿tal vez porque sus maestros no lo permiten?), soy más bien precavido.

Después, en la época posterior a la iniciación, la propia senda vital debería evolucionar bien. Por desgracia, esto resulta difícil de evaluar, puesto que una buena evolución no tiene por qué ser fácil de reconocer. Como se describe en el capítulo «Reacciones», al principio puede haber toda una serie de dificultades que sólo una persona con pericia puede reconocer como el camino correcto.

Lo más importante continúa siendo en todo caso el propio sentimiento. Me refiero a profundizar en uno mismo tanto como sea posible, guardar absoluto silencio y dirigirse y preguntar directamente al corazón si la propia evolución está tomando el camino correcto o no. Deberías dejar lo más posible en un segundo plano todos los argumentos del exterior, tanto del maestro del reiki como de los padres o los amigos, e incluso tus propias ideas de valor adquiridas. Con este estímulo he tenido las mejores experiencias.

Pero, volviendo a los criterios de selección que hemos mencionado: antes de que inicies un seminario de fin de semana puedes preguntar a tu futuro maestro qué es lo que enseña realmente. Durante los seminarios deben suceder siempre las siguientes cosas:

En el fin de semana destinado a la obtención del primer grado recibirás cuatro iniciaciones, que deberán realizarse como mínimo con una hora de separación entre ellas, y a ser posible espaciadas tres horas en el tiempo. Para que el seminario pueda realizarse sin estrés, deberían realizarse como mínimo doce horas de clase. En ese fin de semana el profesor debe explicar el funcionamiento fundamental de la energía reiki. Esa explicación debe incluir posibles reacciones curativas en el proceso de sanación, interacciones con medicamentos y otras terapias e indicaciones claras sobre los límites del efecto curativo y de la responsabilidad del terapeuta. El profesor debe exponer los principios legales aplicables a los tratamientos, sobre todo a los legos en temas médicos. Además, se enseñan las posiciones de las manos y su efecto (ver capítulo «Terapia básica» y «Terapia abreviada»). Los alumnos deben tener oportunidad de dar un tratamiento completo, de recibirlo y de intercambiar experiencias a continuación. El maestro de reiki debería seguir los tratamientos y corregir cuando fuera necesario las posiciones de las manos, o responder directamente las preguntas surgidas.

El seminario para obtención del segundo grado dura habitualmente una tarde y un día completo, abarcando en total unas diez horas de clase. Incluye una iniciación. Para ello hay tres símbolos con los mantras correspondientes, que cada alumno debe aprender con toda precisión bajo supervisión del maestro. Debe explicarse en profundidad la función y el manejo de estos símbolos. Además, el maestro debería dedicar algún tiempo a explicar detalladamente a sus alumnos el efecto de las afirmaciones, para que puedan aplicarlas correctamente y no produzcan ningún daño. Asimismo, considero que tiene sentido practicar recíprocamente los tratamientos a distancia y las terapias mentales durante el seminario para experimentar el efecto que tienen y poder responder de inmediato las preguntas que surjan. Como la responsabilidad de cada uno de los terapeutas aumenta a medida que crecen sus posibilidades, el maestro debería tenerlas particularmente en cuenta en la formación para la obtención del segundo grado.

Al menos durante algunas semanas después de las iniciaciones, sobre todo después de la obtención del segundo grado, debería ser posible mantener el contacto con el maestro de reiki para obtener respuestas sin mucho esfuerzo a las preguntas que se planteen. Un maestro debería estar dispuesto a ello sin poner impedimentos.

Las reglas de comportamiento y las formas de manejar los «efectos secundarios» que explico en mis seminarios y en este libro no son de aplicación general y, por lo tanto, no pueden considerarse como un fundamento incondicional para una iniciación correcta. En cualquier caso, opino que tanto las reglas de comportamiento como una introducción razonada a las posibilidades y límites del reiki son parte consustancial a un buen seminario de reiki, aun cuando es cierto que un fin de semana no es tiempo suficiente para transmitir la materia completa tratada en este libro.

En la formación para maestro existe a su vez una iniciación, y el símbolo del maestro que incluye un mantra. Entonces deben enseñarse con exactitud los rituales con los que debe iniciarse a los alumnos. Si un maestro que realiza la formación no se halla seguro en este terreno, no interpreta algunos símbolos con la precisión deseada o incluso ha llegado a su límite de conocimiento, te aconsejo que te busques urgentemente otro maestro. Dependiendo del maestro y del aspirante a maestro, como es natural la formación englobará las instrucciones para dirigir un seminario, seleccionar a los alumnos y un periodo de asistencia como invitado. Previamente deberá aclararse en profundidad la actitud hacia el reiki y la motivación para la formación. Pero sobre ello incidiré con más precisión en otro libro.

Reacciones al reiki

FUNDAMENTALMENTE, DEBO DECIR con toda claridad que todos los sentimientos y sensaciones descritos en este libro no tienen por qué aparecer de inmediato y con total garantía en todas las personas. Algunas personas sienten en su iniciación un flujo energético indescriptible unido con una sensación de felicidad; otros pudiera ser que no sintieran nada en absoluto. Algunos tienen en cada sesión terapéutica diferentes percepciones sensoriales, como calor, cosquilleo o incluso ven aparecer claras imágenes, mientras que a su vez otras personas pueden no sentir casi nada en las treinta primeras sesiones que dan ellos mismos, exceptuando que vean imágenes o perciban sentimientos del cliente. Por lo tanto, si alguien lee algo acerca de estos fenómenos pero no conoce nada parecido por su propia vivencia, sólo puedo rogar paciencia. Con tiempo y práctica, las primeras experiencias se instaurarán en cualquier momento por sí solas.

En la introducción ya he mencionado que el reiki fluye siempre en un canal, por lo que prácticamente con todo contacto hay algo de reiki que fluye a los congéneres. Dado que el reiki es la energía vital universal, hace bien sin excepción a todo el mundo, si bien con diferente dosificación. Sin embargo, existen personas que quieren cerrarse tanto a la vida (y, por tanto, a esta energía) que el contacto les resulta desagradable.

Entonces puede suceder lo siguiente:

Una mujer joven me contó que su amigo siempre se ponía nervioso y un poco tiquismiquis cuando estaban juntos en el cine. No encontraban explicación a este hecho, hasta que finalmente cayeron en la cuenta de que cuando estaban en el cine ella siempre ponía una mano sobre la pierna o sobre la mano de él. En otra situación, ella nunca le habría dado reiki, puesto que a él no le gustaba y le resultaba desagradable. En el cine ninguno de los dos se había dado cuenta de que, debido al prolongado contacto mantenido en silencio durante la sesión, también fluía bastante reiki. El proceso de curación que se ponía en marcha debido al reiki le hacía sentir un cosquilleo a su compañero, porque se oponía resistencia a sí mismo.

Vamos a pasar a las reacciones que aparecen con más frecuencia.

Calor

Casi todas las personas sienten con bastante rapidez un calor sorprendente que procede de las manos. Por una parte, este calor se debe directamente al flujo de energía, y, por otra, a una intensificación de la irrigación sanguínea. La mayoría de las veces las percepciones del terapeuta y del cliente se sclapan; por ejemplo, el terapeuta siente en un punto un flujo de energía particularmente elevado y el cliente nota en ese mismo punto más calor o un cosquilleo particularmente intenso. No obstante, sucede también que las percepciones del terapeuta y del cliente se diferencia bastante entre sí. A pesar de todo, tiene sentido intercambiar estas experiencias después de la terapia para confiar cada vez más en los propios sentimientos a medida que pasa el tiempo.

Con muy poca frecuencia ocurre que alguien percibe una sensación de frío interior en lugar del esperado y deseado calor. Esto puede ocurrir en el caso de personas que tienen un enorme déficit de energía vital o de dedicación. En ellas fluye la misma energía que en las que sienten calor, si bien no es tan agradable. A pesar de todo no existe razón alguna para intranquilizarse o interrumpir el tratamiento, puesto que al cabo de pocas sesiones este fenómeno desaparece por sí solo.

Cosquilleo

La siguiente sensación que experimentan muchos clientes es un ligero cosquilleo, casi como si una parte del cuerpo se hubiera quedado dormida. La mayoría de las veces este sentimiento es débil y agradable, si bien algunos pueden experimentarlo con intensidad y considerarlo en algunos casos desagradable, debido a lo desacostumbrado del mismo. A estas personas debes decirles claramente que esas percepciones se producen por el flujo de energía generado y que pueden considerarse positivas. Además, desaparecen al cabo de poco tiempo, una vez que se han acostumbrado a la sensación del flujo de energía, y ya sólo se percibe si se rastrean con exactitud, y en todo caso se sienten como algo agradable.

Este cosquilleo también se hace palpable para la mayoría de los terapeutas en las palmas de la mano, y puede incluso aumentar hasta percibirse como dolor, pudiendo ocurrir que las manos comiencen a temblar durante la terapia. Aun cuando en las primeras sesiones seguramente estará en juego la excitación, estas reacciones proceden fundamentalmente del desacostumbrado flujo de energía que atraviesa las manos. Entonces, lo mejor es dejarse llevar por el cosquilleo, puesto que remite por sí sólo al cabo de un tiempo. Sin embargo, cuando se trata de reprimir ese temblor, las manos se tensan, lo que resulta desagradable en igual medida para el terapeuta y el cliente.

Relajación

Asimismo, muchas personas perciben desde la primera terapia una fuerte relajación y sedación. Este sentimiento puede ser más profundo de lo que hayan experimentando anteriormente en aquellas personas que ya han realizado meditación o que tienen experiencias con otras técnicas de relajación. A veces está acompañada de una sensación de pesadez que no resulta desagradable y que desaparece a más tardar al cabo de media hora después de la terapia.

Si alguien no conoce esa sensación, es importante explicarle que esa pesadez es un síntoma de relajación y que es completamente correcta.

Precisamente, con los clientes muy tensos que están permanentemente en estrés, suelo experimentar que al cabo de algunos minutos se relajan tanto que pueden quedarse dormidos durante veinte minutos. Con muy poca frecuencia puede ocurrir incluso que alguien se quede dormido durante una sesión de terapia y que duerma profundamente durante dos horas. Cuando se da reiki a una de estas personas tan estresadas, es aconsejable preguntarles previamente de cuánto tiempo disponen. Podrán relajarse sustancialmente mejor y disfrutar del tratamiento si saben que serán despertadas a tiempo.

Aun cuando, como es natural, los clientes que duermen no reciben tanto de la terapia como si estuvieran despiertos, el reiki actúa sobre ellos con la misma intensidad. Esto se muestra normalmente por el hecho de que con posterioridad se encuentran maravillosamente descansados y reanimados.

Estimulación

A veces ocurre que durante una sesión de reiki alguien recibe sensaciones sexuales e incluso una erección. Para la mayoría de los clientes es bastante desagradable, y con frecuencia también para el terapeuta, sobre todo cuando no tiene experiencia terapéutica. Pero no hay motivo para intranquilizarse, puesto que la explicación es totalmente sencilla: el reiki es energía vital pura, y algunos la llaman también «luz» o «amor». Si por un cuerpo previamente bloqueado o incluso desacostumbrado fluye «amor», puede producirse esta reacción, incluso si se trata del propio terapeuta. De aquí no debe colegirse indefectiblemente que el cliente o el terapeuta desee empezar algo con su contraparte, sino únicamente que algo se pone en movimiento porque la energía vital comienza a fluir.

Naturalmente, también puede ocurrir que tras ello se oculte algo más; en el caso normal uno mismo y el cliente deben tranquilizarse y hay que explicar al cliente que por ello no debe retraerse ni avergonzarse en modo alguno, sino que puede disfrutar del flujo de energía sin plantearse segundas preguntas.

Energía purificadora

El reiki tiene una intensa energía purificadora. Después de unas cuantas sesiones de terapia, la mayoría de las veces la orina se hace más concentrada, a veces cambian el color y el olor de las deposiciones, y el sudor y el olor corporal aumentan o se modifican. Ocasionalmente, el terapeuta puede observar durante la primera sesión que el aire espirado por el cliente tiene un olor diferente, puesto que el cuerpo puede comenzar con mucha rapidez a excretar a través de los pulmones.

Todo ello son reacciones normales de excreción del cuerpo que pueden observarse en cualquier terapia natural buena. Una vez transcurridos entre tres y treinta días, dependiendo del grado de escorificación de un cliente, estas reacciones cesan por sí solas, por lo que no debe interrumpirse la terapia.

Raras veces estas reacciones son exageradamente intensas, pero todo es relativo. Por ejemplo, alguien puede excretar tan intensamente a través del intestino que tenga diarrea durante una semana. Igualmente, puede suceder que aumente la función excretora de la piel y que durante algunos días aumente la aparición de erupciones. En determinadas circunstancias, con enfermedades crónicas graves, estos síntomas pueden durar semanas o meses.

Cuando se hagan visibles estos fenómenos es importante no tratarlos bajo ningún concepto con medicamentos represores. Hay que intensificar conscientemente la secreción, por ejemplo, bebiendo mucho, haciendo ejercicio al aire libre y realizando ejercicios respiratorios, o utilizando un cepillo para la piel. Si a pesar de todo, los síntomas son más desagradables de lo que el cliente desea soportar, deben realizarse pausas más prolongadas entre las sesiones o acortarse los tiempos de terapia (ver también el apartado titulado «Efectos secundarios»).

Cambios en la percepción corporal

Este tema está íntimamente relacionado con el aumento de la sensibilidad tratado en el apartado «Efectos secundarios». Muchas personas sólo sienten una parte muy pequeña de su cuerpo, mientras que no perciben otras áreas del mismo. Por ejemplo, casi todo el mundo conoce la sensación de un estómago lleno, un apretón de manos fuerte o unos ojos sobrecansados. Sin embargo, si pregunta a alguien cómo siente en un momento dado la articulación metacarpiana izquierda, la punta de la nariz o el corazón; la mayoría de las veces se recibe por respuesta una mirada de asombrada extrañeza. Con el tiempo, mediante el trabajo con reiki, la mayoría de las personas desarrollan una percepción tan diferenciada que pueden hacer afirmaciones precisas sobre todas las partes de sí mismas, tanto en el plano corporal como en el plano psíquico.

Respiración

Durante un tratamiento algunas personas comienzan a respirar muy profundamente o incluso a jadear o suspirar. Se trata de una reacción reconfortante que en ningún caso debes reprimir, sino que incluso puedes alentar si tienes la sensación de que alguien no se atreve a hacerlo con total libertad. Lo importante es no evaluar de forma alguna esta expresión del sentimiento.

Tristeza y lágrimas

Lo mismo puede decirse de forma muy particular cuando alguien rompe a llorar. El llanto se desencadena la mayoría de las veces por una tristeza reprimida o no expresada en toda su integridad y que la terapia reiki puede llevar al plano consciente. Pero las lágrimas también pueden ser expresión de alivio y relajación. A veces fluyen sencillamente porque se ha llegado al corazón; entonces puede suceder que alguien llore sin saber qué es lo que lo mueve a ello. Y ese llanto es igualmente liberador, por lo que no tendría sentido mortificarse indagando la razón de las lágrimas, aun cuando sabemos que al intelecto no le resulta fácil aceptar algo sin comprenderlo. En este caso, lo importante es únicamente la expresión del sentimiento.

En el reiki sucede que la tristeza que sentimos por las cosas se expresa sin que seamos conscientes de ello; es decir, las cosas se procesan sin que la persona tenga que ocuparse conscientemente de ellas.

Muchas personas creen que cuando han sentido tristeza por algo durante un periodo determinado ya han llorado bastante. Entonces intentan inconscientemente reprimir las lágrimas que afloran posteriormente, algo que con frecuencia se consigue. En ese momento creen que se han desahogado suficientemente de esa historia y se extrañan de que mediante una o varias terapias de reiki vuelva a aflorar la tristeza que han reprimido. Mediante el reiki tienen, por tanto, la posibilidad de liberarse realmente de ello; en todo caso, también sucede que, llegado este punto, algunas personas interrumpen los tratamientos o desean efectuar una pausa. Y esta decisión hay que respetarla; no podemos decidir por otra persona cuándo ha llegado el momento de procesar o de dar por concluido un tema. Por regla general, la aparición de un tema mediante el reiki indica que ha llegado la hora de ocuparse del mismo.

Con más frecuencia de lo que puedas creer en un principio, muchas personas se han resignado hasta tal punto que ya no creen en una vida dichosa y plena, sino que se conforman con una vida falta de alicientes, aburrida y, en el mejor de los casos, satisfecha.

El reiki es una energía tan intensa que no permite un tipo de vida semejante. El reiki, en cualquier caso tras varios tratamientos, despierta a la persona de su sueño de resignación y la hace tomar conciencia de lo que hace y de cómo vive. Sólo el hecho de reconocer que las cosas son así puede desencadenar una ola de tristeza.

Por desgracia, a veces ocurre que, llegados a este punto, los clientes interrumpen su terapia porque sienten la tristeza y aún no pueden creer que algo pueda cambiar efectivamente de forma fundamental. No tiene demasiado sentido persuadirlas y afirmar que nada es tan grave. Las cosas son para cada cual tan graves como se viven subjetivamente; pueden ser graves para individuos concretos, y eso es lo que importa.

Únicamente partiendo de la propia experiencia podemos contar a esas personas que al final de un viaje, a veces largo y doloroso, el sol brilla con más claridad de lo que pueda imaginarse. Como no conocemos la apariencia que tiene el plan de vida de cada individuo, no podemos manifestar presunciones o hacer promesas sobre lo que sucederá con nuestro cliente. Con ello despertaríamos de inmediato expectativas que en determinadas circunstancias podrían perjudicar notablemente una evolución libre.

Dolor

Como ya se ha mencionado, el dolor puede tratarse muy bien con el reiki. En ocasiones, el efecto relajante y reconfortante del reiki es suficiente para eliminarlo, especialmente cuando el dolor ha surgido por tensiones y espasmos. Como el reiki actúa sobre todos los planos, es indiferente que las tensiones sean de naturaleza predominantemente psíquica o física.

En los casos en que la causa es una lesión menor, la mayoría de las veces los dolores pueden sentirse con más claridad al cabo de varios segundos o varios minutos. Probablemente, la causa de ello en el plano físico radique en que todas las células (y, por tanto, también las células nerviosas) reciben más energía, por lo cual trabajan mejor. Por lo que respecta al plano psíquico, el reiki trae todo al plano consciente con más claridad, incluso los dolores.

El sujeto de la terapia también puede tener la impresión de que los dolores se hacen más intensos. En determinadas circunstancias, pueden ser tan violentos que esa persona desea terminar la terapia de inmediato. Sin embargo, es aconsejable superar este momento y alentar al cliente, puesto que la mayoría de las veces los dolores remiten transcurrido un breve periodo de tiempo o incluso desaparecen por completo.

Enfermedades crónicas

Lo mismo cabe decir para el tratamiento de enfermedades crónicas. También aquí los dolores y otros síntomas pueden aparecer intensificados al principio. Todo ello debe valorarse siempre positivamente, puesto que las enfermedades crónicas deben convertirse en agudas para poder curarse. También las enfermedades menores, como, por ejemplo, un resfriado «curado» mediante medicamentos represores, pueden reaparecer durante algunos días, aun cuando con anterioridad prácticamente habían dejado de percibirse. La causa de ello es la intensificación de la energía inmunitaria que se ocupa de combatir los gérmenes de la enfermedad.

Una enfermedad recidivante que curse de esta forma no debería combatirse bajo ningún concepto con nuevas medidas represoras. Lo único que se conseguiría es perturbar el organismo, puesto que primero se estimulan unas defensas y después se vuelve a ejercer una acción represora.

Con frecuencia, los enfermos sienten de manera intuitiva que el proceso de curación ha empezado, aun cuando en primer término tengan más dolores o síntomas más claros.

Sueño

Después de una serie de terapias, la mayoría de las personas tiene un sueño más profundo y se despiertan más descansadas. Algunas, con frecuencia las más mayores, necesitan menos horas de sueño que antes y pueden llegar a quejarse de que en las primeras horas de la madrugada no pueden continuar durmiendo. Hay que preguntarles que digan con precisión cuántas horas han pasado en la cama para evaluar si pudiera ser que antes de la terapia dormían en exceso.

Los sueños agitados indican que en el interior del cliente algo se ha puesto en movimiento y se está procesando o asimilando, con independencia de que los clientes se acuerden de los mismos o no al despertarse.

Vida psíquica

Con frecuencia, mediante el contacto con el reiki las personas dan grandes pasos en su desarrollo anímico y espiritual. Puede ser que ahora encuentren el valor para solucionar cosas que hasta entonces habían estado aplazando. Sienten sus necesidades interiores con mayor intensidad y pueden aplicarse mejor a ellas, aun cuando puedan volverse más incómodos para algunos de sus congéneres.

Hay personas que desean realizar una terapia, pero que tienen tal miedo a los cambios que no reciben nada de reiki o sólo una pequeña cantidad. Esto sucede con más frecuencia en los tratamientos con reiki a distancia. Entonces se tiene la sensación de no tener un contacto correcto, aun cuando la energía fluye de forma claramente palpable. La energía llega de forma efectiva al cliente, pero éste sólo dispone de ella si se abre a la misma.

En el tratamiento directo todo puede ocurrir de igual forma, o bien puede suceder que el terapeuta tenga las manos desacostumbradamente calientes porque la energía se acumula en ellas y no es absorbida por el cliente. Si él desea continuar el tratamiento, incluso después de que se le haya informado de esta sensación, es del todo correcto proseguir el trabajo. Entonces el reiki se acumula en el aura y despliega su efecto en un momento posterior más adecuado.

Rituales y preparativos para una terapia reiki

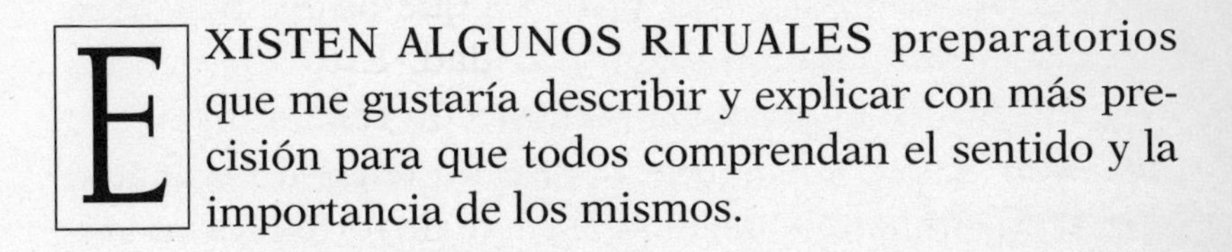

EXISTEN ALGUNOS RITUALES preparatorios que me gustaría describir y explicar con más precisión para que todos comprendan el sentido y la importancia de los mismos.

1. Aflojar las prendas de vestir, quitarse adornos y relojes.
2 Crear un espacio tranquilo y protegido (entendiéndolo en sentido espacial y temporal).
3. Poner música suave.
4. Lavarse las manos.
5. Tapar al cliente.
6. Oración, recolección.
7. Extender el aura.
8. Terapia (ver el capítulo «Posiciones»).
9. Extender el aura.
10. Oración de agradecimiento.
11. Lavarse las manos.
12. Reposo posterior y, eventualmente, intercambio; retorno lento.

1. Aflojar las prendas de vestir, quitarse relojes y adornos

Hay que tener en cuenta que todos deben llevar prendas de vestir cómodas y no deben sentirse obstaculizados o constreñidos en modo alguno por sus ropas. A pesar de todo, es aconsejable desabrocharse el pantalón, la falda o el sostén. En una terapia de reiki algunas personas comienzan a respirar más profundamente de lo que podían imaginarse. Además, se vuelven más sensibles y notan anticipadamente cuándo algo las obstaculiza. Los zapatos deben quitarse siempre, puesto que comprimen mucho el pie, tanto si lo notamos como si no.

Quitarse los adornos tiene por objeto hacer que sobre el cuerpo actúen las menores vibraciones posibles, excepto el reiki. Todo objeto, sobre todo si es de metal, forma a su alrededor un campo de fuerzas, en especial los anillos metálicos, las pulseras y las cadenas. En las pruebas quinesiológicas puede demostrarse el efecto, casi siempre debilitador, de semejantes adornos.

Para prevenir todo ello, lo mejor es quitarse todo. Únicamente en el caso de una alianza, por ejemplo, que no podamos quitarnos del dedo, es posible que haya absorbido la mayoría de las vibraciones corporales debido a que se lleva puesta permanentemente, por lo que apenas será una perturbación. Los relojes de pulsera, sobre todo los de cuarzo, deben quitarse sin excepción, porque siempre obstaculizan.

2. Crear un espacio tranquilo y protegido, entendiéndolo en sentido espacial y temporal

Crear un espacio protegido significa varias cosas.

Por un lado, nos referimos a la tranquilidad meramente acústica. Hay que asegurarse de que esta tranquilidad se mantenga. Lo mejor es descolgar el teléfono y anular el timbre de la puerta y cerciorarse de que nadie pueda entrar en la habitación o llamar a la puerta inesperadamente. Dado que el reiki abre, tanto a los estímulos interiores como a los exteriores, alguien que está sometiéndose a la terapia percibirá el golpeteo de una puerta con mucha mayor intensidad de lo normal. Y naturalmente durante esta fase de profunda relajación la persona se asusta mucho más cuando ocurren estos fenómenos.

Después deberías ponerte de acuerdo sobre la duración aproximada de la terapia y sobre el tiempo del que dispone el cliente. Planificar un cuarto de hora para despertar y, en caso necesario, para contar las percepciones, es planificar de forma realista para que nadie tenga que levantarse y salir en estampida. Además, el cliente debe saber que, en caso de que caiga dormido, se le despertará.

La sala de terapia debe estar más bien caldeada, puesto que la mayoría de las personas comienzan a sentir frío con mayor facilidad debido al efecto de la relajación.

A ser posible, no trabajar cerca de aparatos eléctricos ni directamente junto a las líneas eléctricas, puesto que estas vibraciones también pueden perturbar considerablemente la terapia. Particular atención merece el televisor; incluso cuando esté desconectado es bueno apantallarlo al menos un poco con una funda; y además debe desconectarse el modo de espera desenchufando el televisor de la red o desconectando, el interruptor principal del aparato. En caso contrario, los transformadores de estos aparatos seguirán teniendo corriente y emitirán suaves zumbidos o pitidos y generarán campos eléctricos.

3. Poner música suave

La música suave ayuda a la mayoría de las personas a tranquilizar su entendimiento. Como casi nadie es capaz de no pensar en nada, es más sencillo dejarse llevar por la música y tranquilizar con ella los pensamientos perturbadores. Además, la música apaga los ruidos exteriores más suaves que, en caso contrario, despertarían nuestra atención.

Con este fin, todos deberían disponer de una selección de piezas especiales, como música clásica tranquila o música de meditación. También existe en el mercado música muy hermosa compuesta expresamente para las terapias de reiki: puede adquirirse en las grandes tiendas de discos y en las librerías esotéricas. Las personas con experiencia en meditación puede que prefieran prescindir de la música para que no desvíe su atención: algo que, como es natural, también es bueno.

Con frecuencia se plantea la pregunta de si se puede conversar durante el tratamiento. Básicamente puede hacerse si se plantean preguntas importantes, si no se desea tratar un punto concreto del cliente o si se desea tratar un punto en especial, o también si el terapeuta siente algo a lo que desea referirse en ese momento. Aunque en todo caso la mayoría de las veces es mejor reservar las ideas o imágenes interesantes y discutirlas a lo sumo posteriormente. El efecto de la sesión en su conjunto es considerablemente mayor si nos concentramos sólo en las cosas que suceden y no desviamos (o incluso interrumpimos) el proceso interior intercalando observaciones. Lo que consiguen estas desviaciones es reprimir los sentimientos que emergen o frenar hasta tal punto su energía que ya no pueden desplegar su efecto liberador.

4. Lavarse las manos

El tema de la limpieza se tratará con más precisión en otros capítulos.

Desde el punto de vista meramente higiénico, se trata de trabajar con las manos lavadas. Aun cuando las manos estén limpias, para el sujeto de la terapia es una sensación agradable si te lavas las manos una vez más justo antes de empezar. Si a alguien le resulta desagradable que le toquen la cara puedes colocarle encima del rostro un pañuelo de papel.

En segundo lugar, el agua corriente tiene una fuerza depuradora energéticamente muy intensa. En este caso, significa que antes de una sesión de terapia deberías liberarte conscientemente de todas las influencias energéticamente perturbadoras, como pueden ser un susto o una disputa tenida justo antes. Incluso el mal humor puede «lavarse» con algo de práctica. A través del canal reiki fluye siempre y únicamente energía reiki pura, pero toda persona tiene también otras energías que podrían transmitirse conjuntamente con ella. Normalmente, éstas energías son tan débiles que no tienen un gran peso o son destruidas en unos minutos por el reiki, pero si cerca tienes una posibilidad de lavarte las manos, lo mejor es que te las laves antes de empezar.

5. Tapar al cliente

Incluso en una estancia caldeada, la mayoría de las veces una ligera manta como protección térmica resulta agradable, y cuando menos deberían taparse los pies. El descenso del conjunto de la energía provocado por la relajación hace que algunas personas sientan frío incluso aunque la temperatura de la habitación sea correcta. En todo caso, debería tenerse dispuesta una manta para el caso de que alguien comience a tiritar.

Además, una manta cumple la función de una piel adicional que protege de las influencias exteriores y que en muchas personas despierta recuerdos cálidos si se les cubre con ella amorosamente. De esta forma les resulta más fácil abrirse a la energía reiki.

6. Oración, recolección

Una oración al principio nos tranquiliza interiormente y nos aporta recogimiento. Yo, por ejemplo, ruego que me guíen y que pueda hacer lo correcto en la terapia que va a seguir. Ruego también recibir la energía necesaria. De esta forma mantengo la consciencia sobre el hecho de que no soy yo quien determina lo que sucede, sino sólo quien puede permitirlo, y que la energía fluirá a través de mí como si yo fuera una mera herramienta.

En esta oración también puedes rogar recibir el deseo de efectuar la terapia siempre que no tengas ganas pero si has decidido que te gustaría ayudar a una persona concreta. Efectuar una terapia con desgana es un tormento innecesario, y además no es tan noble como se cree. Amar realmente sólo se puede hacer con alegría.

La oración debe recitarse con suavidad o interiormente en completo silencio, y debe dirigirse a aquello en lo que tengas fe, léase Dios, universo o una gran calabaza.

7. «Extender el aura», antes del tratamiento

A muchos lo de extender el aura tal vez pueda sonarles algo extraño.

Toda persona tiene varios cuerpos: sólo uno de ellos es tangible o material; los otros son etéreos o cuerpos energéticos. Algunos clarividentes pueden ver en las personas estos cuerpos energéticos en forma de aura, y tras alguna experiencia con el reiki la mayoría de los alumnos comienzan al menos a sentirla.

Con el brazo extendido a unos 30 centímetros del cuerpo, extiendes tres veces el aura a lo largo del cuerpo del cliente, comenzando por la cabeza y terminado en los pies. De esta forma conseguirás una relajación de los cuerpos energéticos y, por lo tanto, de la persona en su conjunto.

Además pudiera ser que constatases una irregularidad en la irradiación energética. Para las personas experimentadas, esto puede ser un primer síntoma de la existencia de zonas problemáticas.

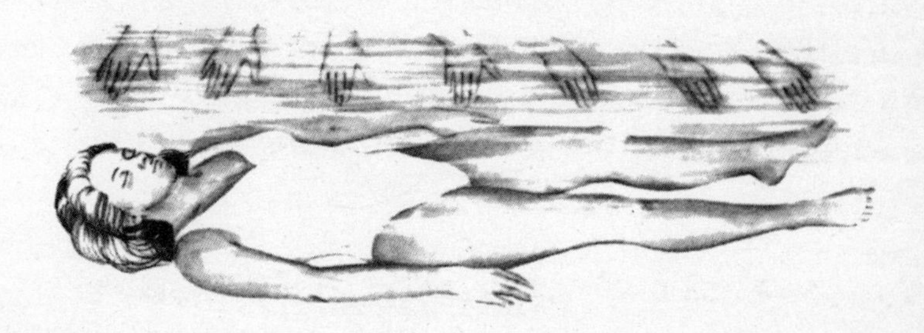

Extender el aura

8. Terapia (ver el capítulo «Posiciones»)

9. Extender el aura, después del tratamiento

La extensión del aura con posterioridad a la terapia la mayoría de las veces se siente de forma distinta. El aura casi siempre está notablemente más tranquila después de la terapia, y en ocasiones parece que irradia a más distancia del cuerpo, por el simple hecho de que la persona tiene más energía y tiene mayor capacidad de «irradiación».

Cuando después de una terapia alguien apenas vuelve en sí o sólo despierta con mucha lentitud, es posible retrotraerle con más rapidez a esta realidad efectuando una «concentración» del aura. Para ello, con una mano se recorre rápidamente el aura desde los pies a la cabeza.

En cualquier caso, yo prefiero dejar que los clientes vuelvan en sí a su propio ritmo. Se trata de un emerger más agradable y están en mejores condiciones de recordar las experiencias que han tenido en la sesión.

10. Oración de agradecimiento

La oración de agradecimiento, sea quien sea a quien se dirija, debe devolvernos al lugar correcto en este mundo o recordarnos quiénes somos y dónde estamos.

Es importante también agradecer al cliente que nos haya regalado su confianza y que se haya dejado tratar por nosotros.

11. Lavarse las manos

El lavarse las manos después de la sesión tiene una vez más la función de purificarnos de las posibles vibraciones negativas absorbidas. Dado que los canales de reiki con poca experiencia con frecuencia no notan si han absorbido algo hasta transcurridos unos días después de la terapia, recomiendo imperiosamente lavarse y depurarse a conciencia después de cada tratamiento. Incluso los terapeutas experimentados muchas veces no conocen el efecto de tales transmisiones o piensan que un poco (¿o un poco más?) de compasión es algo inherente al gremio. Sobre este particular, pueden leerse más detalles en los capítulos dedicados a los «efectos secundarios».

12. Reposo posterior y, eventualmente, intercambio; retorno lento

El reposo posterior puede durar entre diez y veinte minutos. Puede significar dejar a alguien completamente tranquilo o sentarse ante él y hacerle notar (con o sin contacto) que se está junto a él con el pensamiento y con el sentimiento.

Algunas personas no quieren contar después nada de lo que han vivido, sentido o visto: hay que respetar esta postura. Si alguien tiene ganas de contarlo y hay tiempo para ello, también es acertado hacerlo. A menudo existe una sorprendente coincidencia entre las sensaciones del cliente y del terapeuta. Constatar este simple hecho ayuda a ambos a confiar en sus sensaciones y a obtener más confianza en el sentimiento.

En caso de que un cliente cuente y cuente sin parar, también puede tener sentido interrumpirlo; puede suceder que haya personas que cuenten sus vivencias durante tanto tiempo que se queden sin energía y se reduzcan los efectos positivos posteriores de una terapia. Para evitar esta situación, debes decir tranquilamente a tales clientes que durante los próximos tres días no deben hablar con nadie sobre lo vivido. En cualquier caso, la decisión al respecto debe tomarse intuitivamente o guiado por la experiencia.

Posiciones de las manos

EL CAPÍTULO DEDICADO a la descripción de la posición de las manos lo he reducido conscientemente para no hacer a nadie caer en la tentación de aplicar un esquema cómodo pero demasiado rígido.

A pesar de ello, en todo caso es aconsejable grabarse en la memoria el tratamiento básico que sigue a continuación y seguirlo al menos al principio. Una vez que tengas este «esquema», podrás abandonarte con mucha mayor facilidad a lo que puedas sentir en las distintas posiciones en los diferentes puntos del cuerpo.

Posteriormente, muchos pasan a imponer sus manos intuitivamente donde sienten mayor flujo de energía o donde su cliente tiene dolencias. Pero si se comienza imponiéndose la exigencia de reaccionar con sensibilidad a los flujos de energía, por el puro estrés de tener que sentir algo acabará por no sentirse nada.

Respecto a las posiciones, hay que tener en cuenta que el reiki parte de los chakras de la mano, es decir, del centro de la palma de la mano, y no del centro de la mano en su conjunto.

Terapia básica

EXISTE UNA SERIE DE POSICIONES que, realizadas consecutivamente, componen una especie de terapia básica de una hora aproximada de duración. Esta terapia básica debe considerarse el fundamento para cualquier tratamiento más prolongado. De esta forma se garantiza que se tratan todos los sistemas de órganos y la persona en su conjunto, y que no se olvida ninguna zona.

Si alguien viene a nosotros y desea someterse a una terapia, lo mejor es comenzar con una terapia básica realizada en cuatro días consecutivos. Esto tiene el siguiente fundamento.

Mediante el reiki se pone interiormente en movimiento una gran cantidad de energía, tanto física como psíquica. Si al principio efectúas una terapia cuatro veces consecutivas, el cliente no caerá tan fácilmente en patrones y estructuras mentales antiguas. En primer lugar, con ello normalmente se pasan a primer plano muchas cosas, hasta la conciencia de vigilia, desde donde será más difícil desplazarlas de nuevo; y además, en esos cuatro días siempre puede procesarse algo. Esto da a las personas la confianza de que en su vida puede moverse y cambiar efectivamente algo.

A continuación casi siempre es suficiente una sesión por semana para apoyar el proceso de desarrollo. En cualquier caso, la frecuencia de los tratamientos no debe manejarse con demasiada rigidez, y dependiendo del cuadro de la enfermedad, se puede efectuar una terapia desde cinco veces al día hasta una vez cada cuatro semanas. La decisión al respecto será más fácil tomarla después de leer completamente este libro.

Las manos se mantendrán siempre lo más relajadas posible para que se apoyen suavemente sobre el cliente. Los dedos deben mantenerse juntos, nunca separados.

Dentro del aura de una persona debes moverte con lentitud y precaución. Una vez que el cliente se ha relajado y abierto mediante una terapia, en determinadas circunstancias un movimiento rápido de las manos efectuado junto al cuerpo puede intranquilizarlo, sin que el cliente sepa muy bien por qué.

Cada posición se mantiene entre tres a cuatro minutos. Cuando tengas la sensación de que tus manos se pegan formalmente al cuerpo, puedes mantenerlas media hora en esa posición, y en el capítulo relativo a las posiciones especiales se aportan explicaciones más detalladas. Al cambiar de posición, para los clientes es muy agradable cambiar primero una mano y después la otra, para mantener siempre el contacto con él.

Me abstendré de realizar prolijos comentarios sobre cada una de las posiciones cuando sea evidente para qué son buenas cada una de ellas. Por ejemplo, resulta lógico que después de un día de trabajo en la oficina, con abundante utilización de medios informáticos, los ojos se sentirán muy aliviados con un tratamiento más prolongado; o que los dolores de estómago la mayoría de las veces responden bien a un tratamiento del estómago.

Sólo unas palabras más sobre el concepto «reiki»: algunas personas tienen problemas con las artes terapéuticas del Lejano Oriente, sobre todo las personas eminentemente prácticas, a quienes esta palabra no les dice nada. La forma más elegante y honrada de llegar a estas personas es hablar de imposición de las manos en lugar de utilizar el término «reiki». Es sorprendente lo abiertamente que reaccionan a ello la mayoría de estas personas, pues casi cualquiera ha tenido una abuela o una bisabuela que también lo hacía. De esta forma se rompe el hielo y el intercambio es mucho más fácil, tanto en el plano verbal como en el de la energía.

Respecto a las ***posiciones de las manos*** en particular: cuando se trate de posiciones referidas a la cabeza, lo más cómodo es sentarse directamente delante de la cabeza del paciente y no perpendicularmente a él.

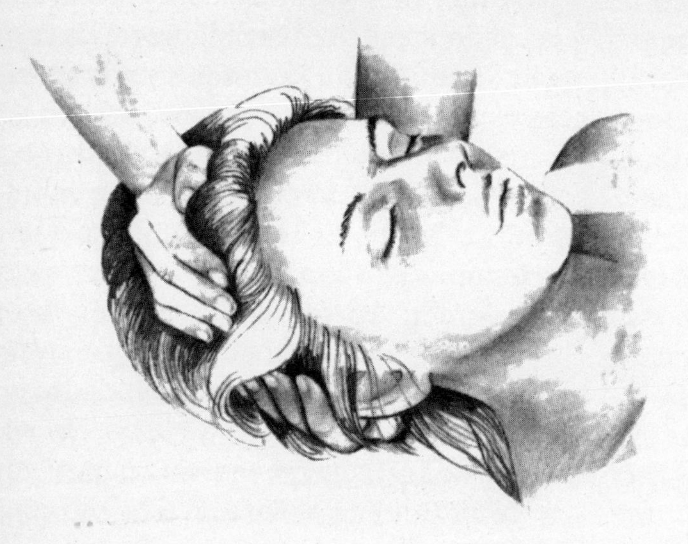

Terapia básica. Posición 1

TERAPIA BÁSICA. POSICIÓN 1

Una mano se coloca debajo de la cabeza, prácticamente hacia la nuca, de forma que la palma de la mano conforme una concavidad en la que la cabeza pueda apoyarse blandamente. La otra mano se apoya sobre la coronilla, es decir, sobre el chakra coronal. Ésta es una especie de posición de salutación. A veces el cliente desea decir o preguntar algo, o cambia de posición al estar tumbado, lo que es fácil realizar con esta posición de las manos. Además la parte trasera de la cabeza en la zona de transición con la nuca es muy adecuada para favorecer la confianza, puesto que un contacto en el extremo de la columna vertebral transmite inconscientemente el sentimiento de seguridad.

Adicionalmente, tiene un efecto muy relajante efectuar con la mano situada en la nuca una tracción extremadamente suave. La fuerza de tracción sólo puede aumentarse muy lentamente para que el cliente apenas lo note y, por lo tanto, no se tense como reacción. Esta ligera extensión produce una maravillosa relajación de la columna cervical. La tracción debe irse suprimiendo con tanta lentitud y precaución como se ejerció, puesto que en caso contrario, al soltarse la columna vertebral puede volver a tensarse. En cualquier caso, se aplica la regla de que «cuanto más lento, mejor», puesto que hay tiempo suficiente.

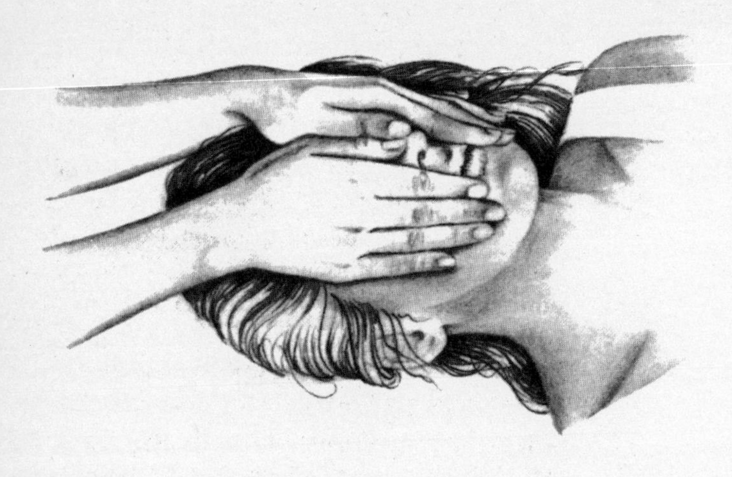

Terapia básica. Posición 2

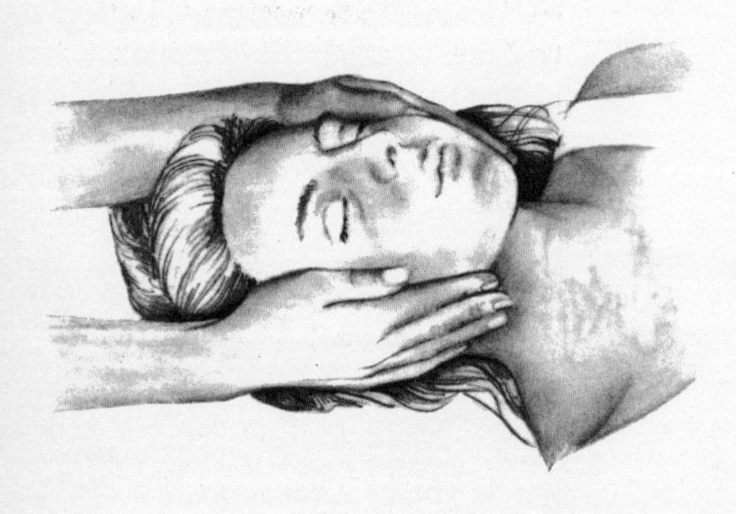

Terapia básica. Posición 3

TERAPIA BÁSICA. POSICIÓN 2

Coloca ambas manos sobre los ojos, de forma que los chakras de las manos se sitúen sobre los globos oculares, sin tocarlos. Los dedos se apoyan sobre las mejillas, llegando aproximadamente hasta el mentón si las manos del terapeuta son alargadas. Asegúrate de que la nariz permanece completamente libre, puesto que el más mínimo roce en las aletas de la nariz puede percibirse como una sensación muy desagradable.

TERAPIA BÁSICA. POSICIÓN 3

A continuación, desplaza las palmas de las manos hacia el exterior y la zona de las sienes, manteniendo los dedos aproximadamente en la misma posición. En este punto las personas, sobre todo las que necesitan mucho consuelo, toman mucha energía, por lo que esta posición se denomina «posición de consuelo».

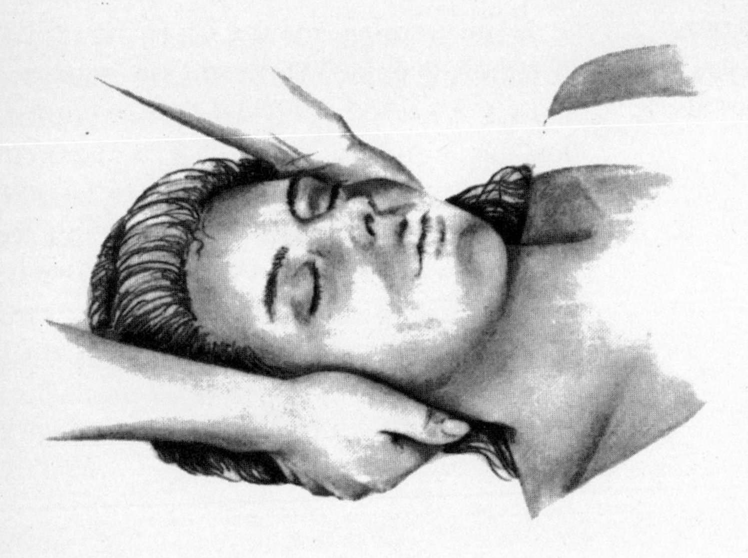

Terapia básica. Posición 4

Terapia básica. Posición 5

TERAPIA BÁSICA. POSICIÓN 4

Coloca ambas manos sobre las orejas; lo mejor es dejar las puntas de los dedos sobre el extremo basal del cráneo entre la parte posterior de la cabeza y la nuca. Por el hecho de que los oídos tienen una relación muy directa con el alma y de que los clientes, lógicamente, oyen poco durante la terapia, esta posición se percibe casi siempre como muy energética y agradable.

TERAPIA BÁSICA. POSICIÓN 5

A continuación se coge la cabeza con ambas manos de forma que las puntas de los dedos se sitúen aproximadamente en el borde inferior de los huesos del cráneo y la parte posterior de la cabeza descanse sobre las palmas de las manos. Lo más fácil es girar la cabeza hacia un lado para poder introducir debajo las manos.

Esta posición actúa directamente (entre otros efectos) sobre el centro de la visión y, por lo tanto, es de gran ayuda cuando se ha efectuado un trabajo estresante con los ojos. Asegúrate también de que tus manos están relajadas y de que, por lo tanto, se sienten blandas. Alguien que haya tenido alguna vez la cabeza sobre unas manos muy tensas sabrá lo desagradablemente duras que pueden resultar las manos para apoyarse.

Terapia básica. Posición 6

TERAPIA BÁSICA. POSICIÓN 6

Una mano vuelve a colocarse debajo de la parte posterior de la cabeza, y la otra a la altura de los pezones, sobre el chakra del corazón. A veces, esta posición desencadena fuertes arrebatos de sentimiento y puede iniciar un proceso de concienciación. Su especial efecto radica en que esta posición vincula la cabeza con el cuerpo. En el plano consciente esto significa que el inconsciente (cuerpo) se liga energéticamente con el consciente (cabeza). De esta forma, los sentimientos reprimidos almacenados en el cuerpo pueden penetrar en el consciente a través del cuello. Algunas personas sienten un cosquilleo en el cuello, ansiedad, o tienen la necesidad de tragar saliva continuamente porque tratan de bloquear el flujo de energía en el cuello para no vivir los viejos sentimientos. Aquí el terapeuta sólo puede decidir individualmente en cada caso si tiene sentido mantener esta posición y ayudar a la persona en su ansiedad y en sus viejas historias, o si es mejor tratar otras áreas hasta que la confianza sea suficiente para abandonarse y relajarse. Por ejemplo, puedes coger los riñones cuando se trate de un miedo antiguo profundamente asentado; el plexo solar, si se vive como una amenaza del exterior, o la cabeza, si tienes la sensación de que la angustia es fundamentalmente un producto del pensamiento (ver también el capítulo «Posiciones especiales», apartado «Angustia»).

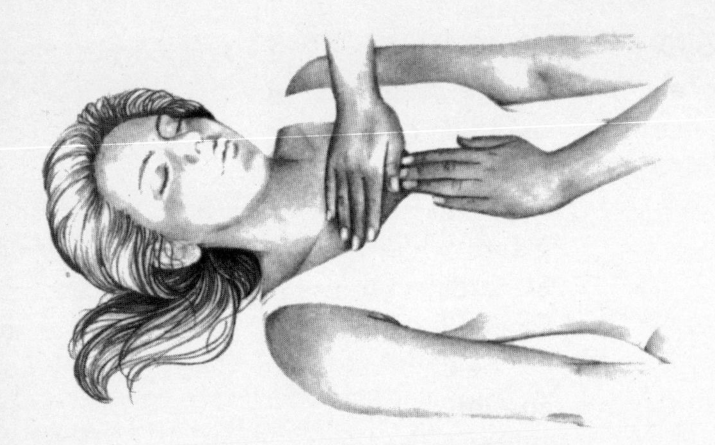

Terapia básica. Posición 7

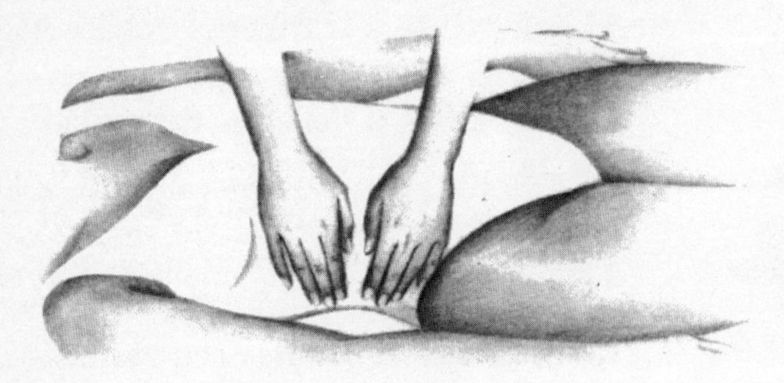

Terapia básica. Posición 8

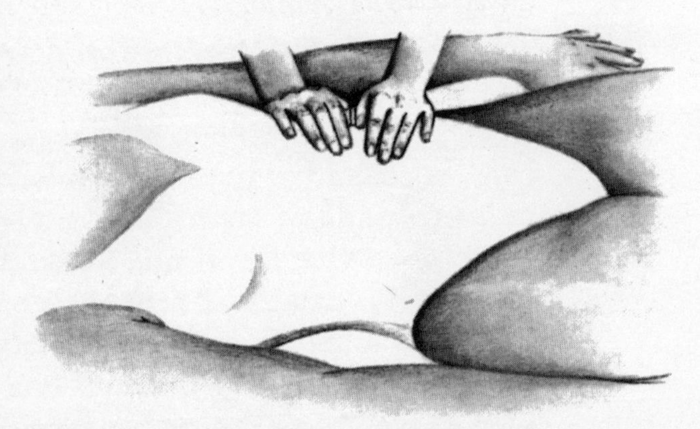

Terapia básica. Posición 8

TERAPIA BÁSICA. POSICIÓN 7

Ahora debes colocarte perpendicularmente al cliente, sentado o de pie. Una mano se coloca de nuevo sobre el chakra del corazón, y la otra se coloca transversalmente a la primera apoyada sobre la glándula del timo. Esta posición fortalece el sistema inmunitario y centra espléndidamente. Además, el sujeto de la terapia recibe un sentimiento de fortaleza y autoconfianza.

TERAPIA BÁSICA. POSICIÓN 8

Coloca las manos lateralmente sobre la caja torácica, por debajo de los pezones, es decir, sobre las costillas inferiores. Si tienes unas manos grandes en relación a la estatura del cliente, se pueden tratar ambos lados simultáneamente; en caso contrario, es mejor colocar primero las manos en un costado y después en el otro. Esta posición fortalece los pulmones y la caja torácica. Además en el lado derecho se alcanza el hígado (ver también «Posiciones especiales»).

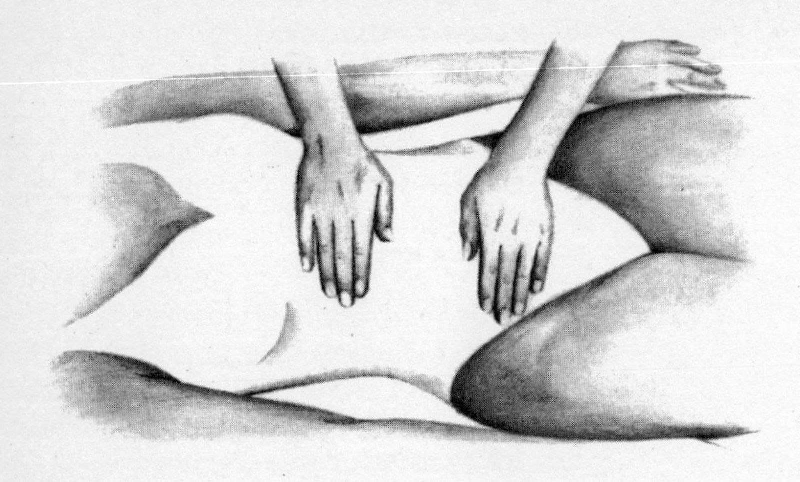

Terapia básica. Posición 9

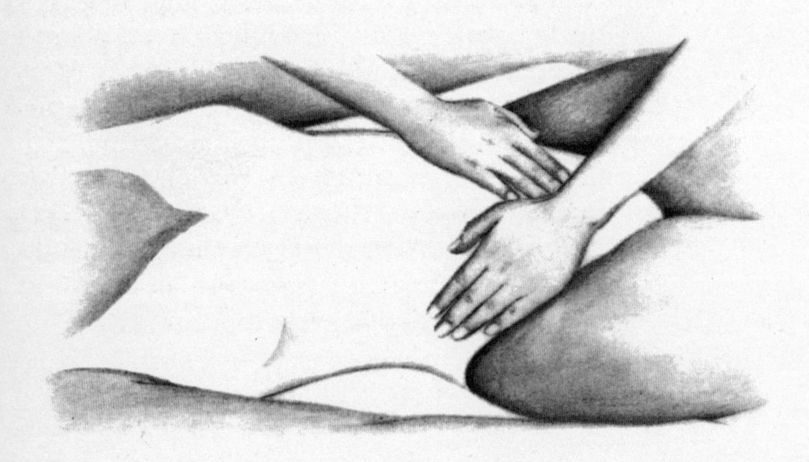

Terapia básica. Posición 10

TERAPIA BÁSICA. POSICIÓN 9

Ahora una mano se apoya sobre el plexo solar y otra sobre el chakra sexual. Las manos se sitúan aproximadamente a un palmo escaso de distancia por encima y por debajo del ombligo, respectivamente. Coloca aquí las manos con especial precaución y lentitud, puesto que el vientre no cuenta con protección ósea y bajo tus manos la persona se encuentra ya suficientemente abierta, con lo que un movimiento demasiado rápido dentro de su aura podría asustarlo fácilmente. Además, el plexo solar es el chakra de la recepción y el procesamiento para el cuerpo, tanto material (estómago) como energético (plexo solar), por lo que necesita un tratamiento especialmente cuidadoso.

TERAPIA BÁSICA. POSICIÓN 10

Ahora ambas manos se colocan en las ingles, aproximadamente formando 45 grados con el eje longitudinal del cuerpo. De esta forma se alcanza la pelvis completa, con sus órganos, y la musculatura interna de la pelvis se relaja. Para poder ejecutar con comodidad esta posición lo mejor es que los dedos de una mano apunten hacia arriba y los de la otra hacia abajo.

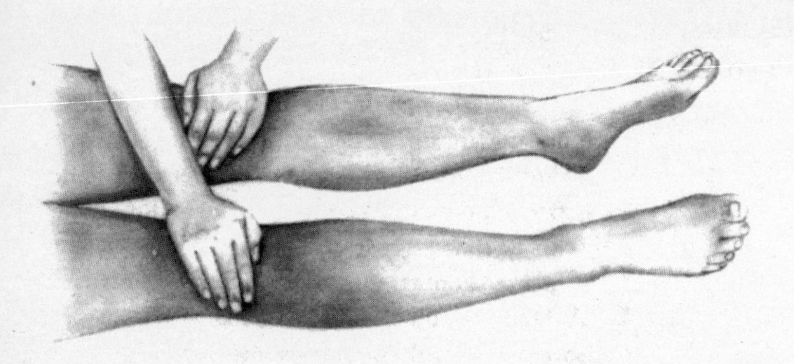

Terapia básica. Posición 11

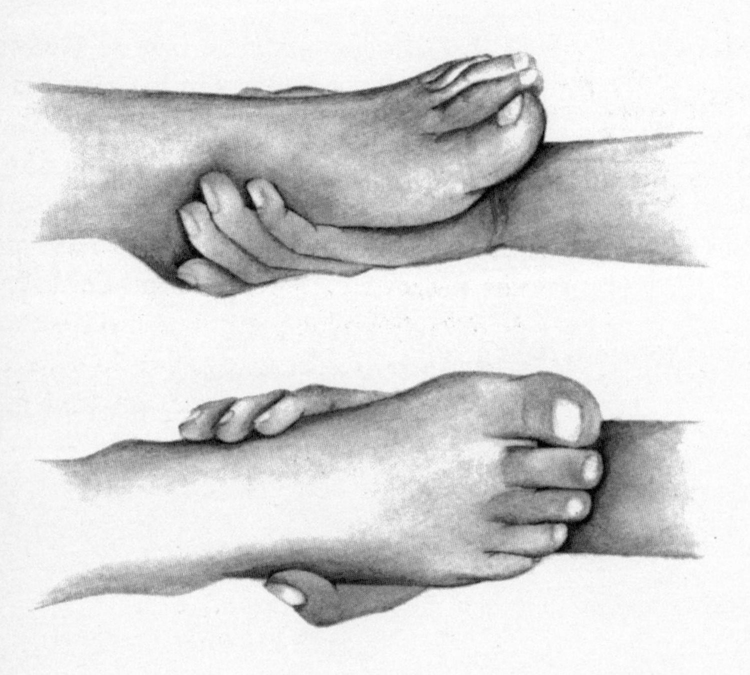

Terapia básica. Posición 12

TERAPIA BÁSICA. POSICIÓN 11

A continuación les toca el turno a las rodillas.

TERAPIA BÁSICA. POSICIÓN 12

La última posición con el paciente tumbado de espaldas son los pies. En las plantas de los pies el efecto es mayor, y eventualmente también puedes tratar de forma complementaria el empeine de los pies. Durante la terapia en los pies, algunas personas sienten un agradable flujo de energía en las piernas, y a veces incluso en todo el cuerpo. Si aquí fluye mucho reiki, puedes permanecer en esta posición mucho tiempo.

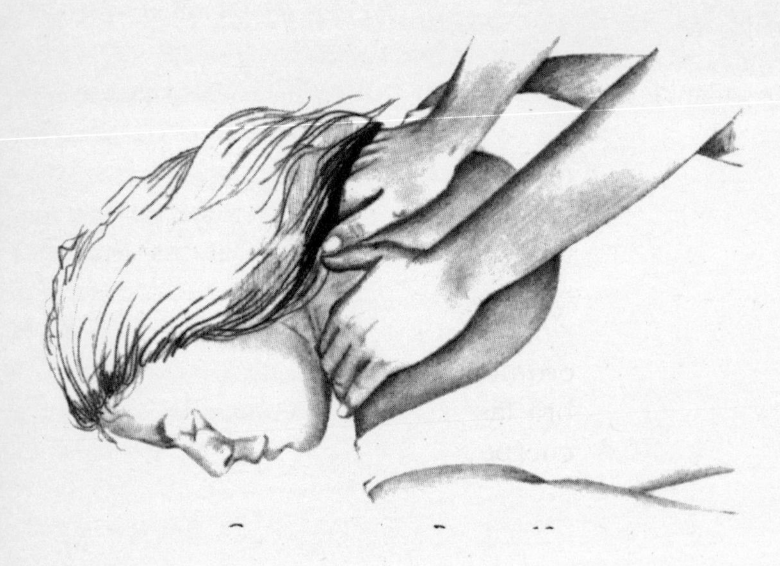

Terapia básica. Posición 13

Terapia básica. Posición 14

TERAPIA BÁSICA. POSICIÓN 13

A continuación ruega al cliente que se tienda boca abajo.

Primero coloca las manos desde arriba sobre el músculo trapecio, directamente junto al cuello y sobre los hombros. Éste es el músculo que se encuentra tenso en casi todas las personas que realizan trabajos sedentarios de escritorio, y que con frecuencia causa dolores crónicos. Además, esta posición equilibra las mitades derecha e izquierda del cuerpo.

TERAPIA BÁSICA. POSICIÓN 14

A continuación ambas manos se desplazan a las paletillas. Ésta es una posición muy buena cuando un cliente tiene tanta angustia que no puede abrirse energéticamente cuando trabajas en la parte anterior, en la zona del pecho. Evidentemente, aquí la angustia se libera con más facilidad.

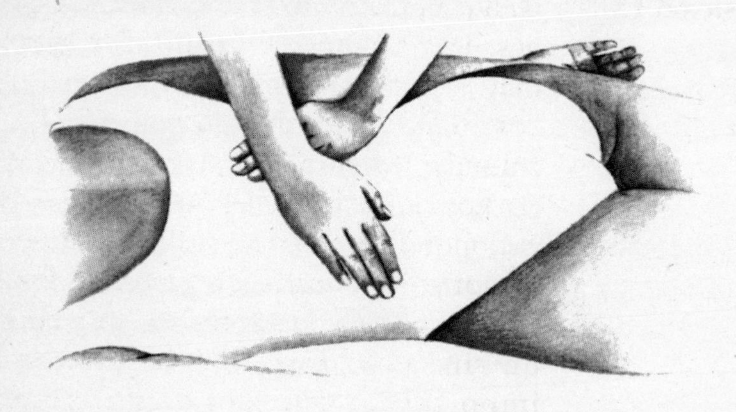

Terapia básica. Posición 15

TERAPIA BÁSICA. POSICIÓN 15

Ahora viene una posición muy importante en la que puedes detenerte tranquilamente un buen rato: los riñones. Los riñones están situados aproximadamente debajo de las últimas tres costillas, a derecha e izquierda de la columna vertebral.

Los riñones son los órganos de depuración del organismo y extremadamente importantes, tanto en el plano físico como psíquico; la expresión «eso cuesta un riñón» expresa palpablemente lo importantes que son como tampón amortiguador de todo lo vivido. A través de los riñones también puede tratarse una tristeza profundamente arraigada, si bien para lograrlo se necesita algo de paciencia.

Como las cápsulas suprarrenales se asientan directamente sobre los riñones, en esta posición se tratan conjuntamente de forma automática. Al ser glándulas hormonales productoras de adrenalina, son específicamente responsables de la forma de manejar y de procesar el estrés. Suele suceder que después de un tratamiento intensivo de las cápsulas suprarrenales el cliente está durante algunos días más agresivo que de ordinario, lo cual supone un proceso normal y sano en el que aprende a manejar de forma distinta su estrés.

Terapia Básica. Posición 16

Como última posición, coloca una mano longitudinalmente ejerciendo algo de presión en el extremo inferior de la columna vertebral, sobre el cóccix, y la otra encima de la anterior y transversalmente, aproximadamente sobre el hueso sacro. Así harás ascender el flujo de energía a la columna vertebral; además, esta posición hace que el cliente despierte completamente de forma más suave.

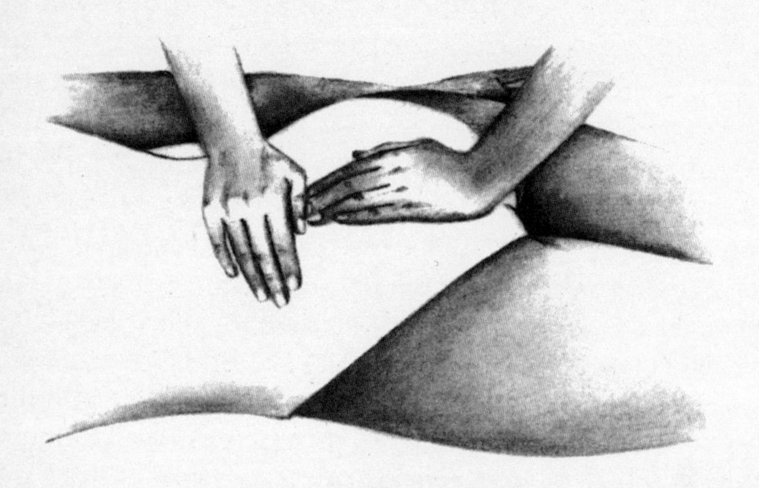

Terapia básica. Posición 16

Aquí termina una terapia básica; las posiciones especiales pueden aplicarse a continuación. La mayoría de las veces suele ser más conveniente integrarlas en el proceso de la terapia, salvo que para finalizar desees recordar una vez más al sujeto que has dedicado una especial atención a un órgano o parte del cuerpo concreta.

Posiciones especiales

EN PRIMER LUGAR, hay que decir claramente que puedes y tienes derecho a colocar tus manos básicamente en cualquier lugar. Tanto si el cliente manifiesta el deseo de sentir las manos en un lugar determinado como si tiene dolores en puntos definidos o si te sientes atraído energéticamente por un punto concreto, en cualquiera de los casos puedes dirigir tus manos al punto donde ellas se sientan atraídas.

Igualmente, no existe ninguna duración prescrita para una posición determinada. Si como terapeuta crees que las manos se pegan formalmente al cuerpo, o que la sola idea de retirarlas resulta dolorosa, puedes mantenerlas en una posición hasta media hora. A este respecto daremos más detalles posteriormente.

Probablemente, después del tratamiento el cliente estará asombrado de por qué conocías los puntos en los que al cliente le resultaba extremadamente agradable recibir mucha energía.

Por ejemplo, también es posible tratar en una sesión todas las articulaciones de un enfermo reumático. De la misma manera, también puedes comenzar una sesión sin un plan determinado, sencillamente sentándote delante de una persona después de haber extendido su aura y esperando a ver qué pasa. Con frecuencia, las manos encuentran ellas solas el camino. Como es natural, mediante órdenes nadie puede estar tan abierto como para que su intuición le muestre lo que debe hacer, pero si tienes la sensación de que algo es exactamente lo indicado en un momento dado, deberías por lo menos probarlo.

A continuación indico algunas posiciones que han demostrado buenos resultados en determinadas áreas temáticas.

Posición especial. Bloqueos mentales

Bloqueos mentales

A veces, colocar una mano debajo de la parte posterior de la cabeza y la otra sobre la frente tiene efectos muy buenos cuando alguien tiene bloqueos mentales o el terapeuta tiene la sensación de que el cliente tiene alguna fijación mental. Con frecuencia, tal fijación es directamente una razón para agarrarse a la enfermedad o, sencillamente, para no avanzar en la vida. Para averiguarlo, primero hay que reconocer conscientemente el problema, y para ello la posición descrita anteriormente es de gran ayuda.

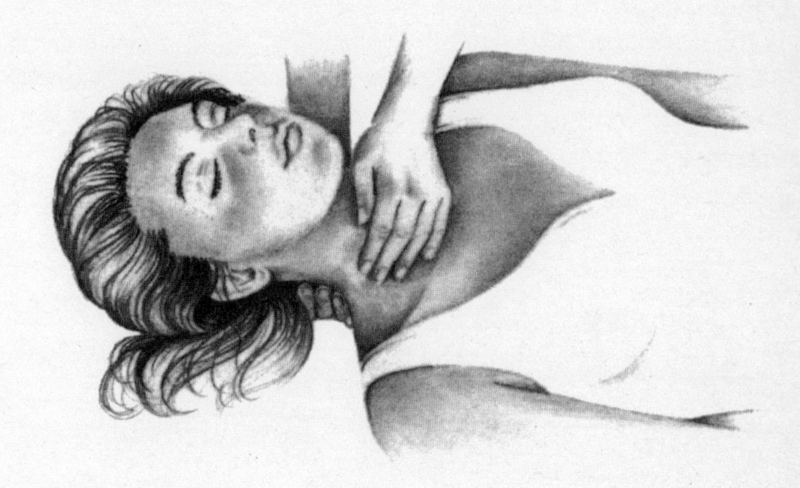

Posición especial. Problemas de cuello y de «ritmo».

Problemas de cuello y de «ritmo»

Puedes colocar una mano sobre el cuello y otra debajo del mismo, no sólo cuando existan dolores de cuello o problemas de voz de cualquier tipo. El chakra de la garganta es al mismo tiempo el chakra del ritmo, puesto que aquí se asienta la glándula tiroides. Las hormonas de la tiroides influyen, entre otras cosas, sobre la velocidad de todo el metabolismo del cuerpo. Es decir, que el hipertiroidismo y el hipotiroidismo pueden tratarse en esta posición, al igual que las alteraciones del ritmo en sentido figurado. Me estoy refiriendo, por ejemplo, a problemas con el ritmo diario: con horarios fijos de trabajo, o de sueño y vigilia.

En caso de alteraciones del ritmo cardiaco, puedes intentar lograr algo a través de la tiroides, pero probablemente será más efectivo hacerlo directamente en el corazón.

Naturalmente, con personas particularmente sensibles debes guardar suficiente distancia cuando actúes en el cuello. Algunas personas no soportan en esta zona el más mínimo contacto.

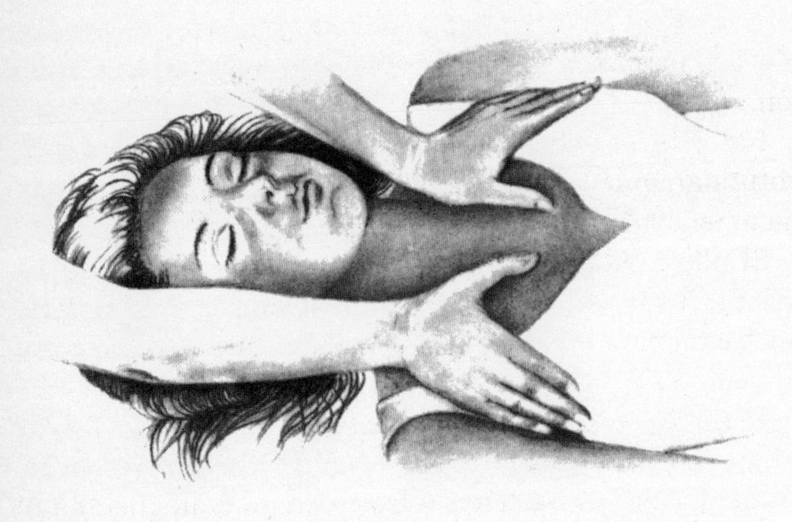

Posición especial. Ansiedad

Ansiedad

En el caso de la ansiedad, ha demostrado buenos resultados colocar las manos sobre el músculo pectoral mayor, directamente debajo de la clavícula, partiendo desde la cabeza. Estos músculos se tensan con frecuencia para crear una coraza muscular que proteja a la persona de los ataques. Si alguien tiene ansiedad durante un periodo de tiempo prolongado, se produce un endurecimiento y acortamiento de los músculos pectorales. La consecuencia son hombros adelantados con errores posturales y limitaciones respiratorias. Aquí las manos calientes del reiki tienen un efecto maravilloso y, sobre todo, la disolución completa de las tensiones perdura con frecuencia a lo largo de semanas enteras.

Por desgracia, a veces la angustia del cliente es tan grande que no podrás imponer sus manos en esta zona. Si sientes algo parecido, primero debes tratar los riñones, el plexo solar, las paletillas o la cabeza, hasta que puedas colocar las manos sobre el pecho con una buena sensación.

Los riñones deberías tratarlos cuando la ansiedad esté profundamente arraigada, sea muy antigua o suponga una amenaza para la vida.

El plexo solar es competente, sobre todo, cuando la ansiedad se vive como amenaza del exterior. Esto ocurre con frecuencia en personas sensibles que reciben más impresiones de las que pueden procesar.

Al igual que en la parte anterior, el tratamiento de las paletillas tiene un efecto general de disolución de la ansiedad. Aquí es bastante infrecuente que un cliente no pueda soportar el contacto.

Finalmente, también se puede tratar la cabeza, si tienes la sensación de que la ansiedad es fundamentalmente un producto mental. En cualquier caso, casi siempre es mejor vincular la cabeza con otro punto para concentrar aún más energía en la cabeza.

El punto más efectivo de la cabeza es casi siempre la nuca, en el límite con la parte posterior de la cabeza. Al tratar este punto se reprime el reflejo instintivo de huida y, por lo tanto, se provoca una sensación de seguridad y recogimiento.

Confianza

En ocasiones, como terapeuta te darás cuenta de que un cliente se retrae ante sus sentimientos antes de que pasen correctamente a su plano consciente. Con demasiada frecuencia, esos sentimientos sólo se perciben como una intuición y quedan relegados con mucha rapidez, tal vez para no dejar que aparezcan las lágrimas, o sencillamente porque es doloroso. Frecuentemente, no se perciben los sentimientos ni su represión, porque los mecanismos de represión inconscientes anticipan su activación. Tratando cuidadosamente las manos podrás aumentar de forma sorprendente la confianza y permitir a la persona que deje aflorar sus sentimientos y los perciba.

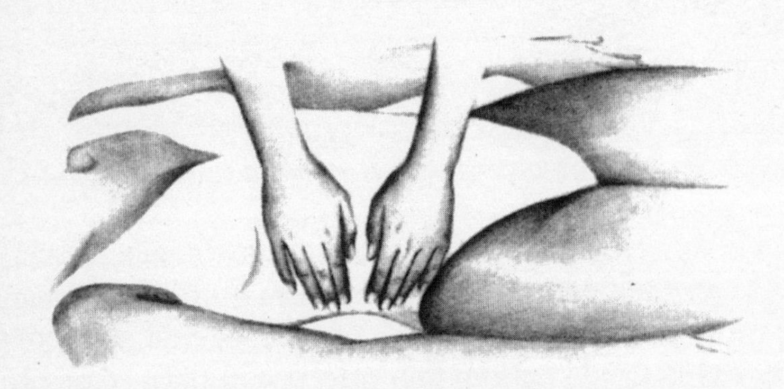

Posición especial. Fatiga, depresión, hígado

Fatiga, depresión hígado

El hígado necesita apoyo en casi todas las personas enfermas, aun cuando las dolencias no sean físicas.

Sobre todo, los clientes con tendencia a la depresión tienen siempre simultáneamente una debilidad energética en el hígado. Hay un proverbio que dice «la fatiga es el dolor del hígado.» El hígado, en sí mismo, no puede doler, puesto que no tiene nervios sensibles al dolor.

Para tratarlo, debes colocar ambas manos sobre el arco costal derecho.

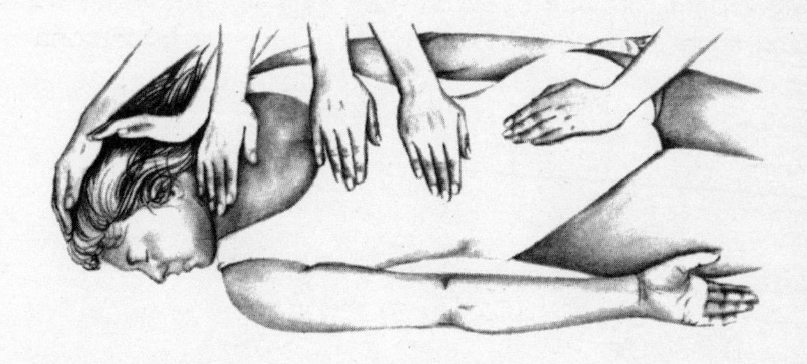

Posiciones especiales. Columna vertebral y chakras

Columna vertebral y chakras

Si deseas estimular más intensamente el flujo de energía en la columna vertebral, coloca las manos en la posición 16 (una mano sobre el cóccix y la otra transversalmente encima de la anterior) y ve desplazando sucesivamente la mano superior hacia los diferentes chakras, manteniéndola un minuto sobre cada uno de ellos (los chakras son remolinos de energía que sirven para absorber y distribuir la energía vital).

Es decir, la mano inferior permanece sobre el cóccix y la superior pasa del hueso sacro a la altura de los riñones, después al corazón, luego al cuello, a continuación a la parte posterior de la cabeza y finalmente al chakra coronal.

Las personas sensibles, tanto terapeutas como clientes, pueden sentir de esta forma cuál de los chakras permite el libre flujo de la energía y cuál se halla bloqueado.

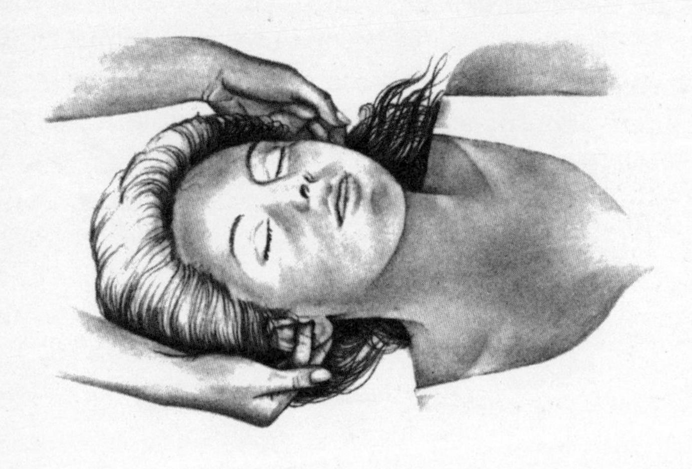

Posición especial. Oídos

Oídos

En caso de sentir dolor de oídos, zumbidos o mareos, puedes introducir tus dedos índices en los oídos (naturalmente, con sumo cuidado) e imaginar mentalmente que la energía no emana de los chakras de la mano, sino que fluye hasta las puntas de los dedos, por donde es expelida. Si puedes concentrarte bien, sentirás muy calientes las puntas de los dedos, y el efecto curativo es enorme.

Dolor de cabeza

En el tratamiento de los dolores de cabeza debe tenerse en cuenta una cosa: la mayoría de las veces surge por un exceso de energía en la cabeza. Normalmente, el efecto calmante del reiki es suficiente para relajar la cabeza lo suficiente como para que los dolores se alivien o desaparezcan. De todas formas, a veces ocurre lo contrario: los dolores de cabeza se agudizan y no muestran síntomas de debilitarse en el curso del tratamiento. En este caso, debes proceder al menos con una mano (y mejor aún, con las dos) en el cuerpo, para dirigir la energía (y, por tanto, también la atención) alejándola de la cabeza en dirección al cuerpo.

También supone una buena ayuda extender de diez a veinte veces el aura de la persona desde arriba hasta abajo.

Casos de emergencia

Si recibes un caso de emergencia, como un accidente de tráfico o similares, además de las habituales medidas de seguridad y de primeros auxilios, deberías dedicar especial atención a la cabeza y al plexo solar. Un tratamiento adicional de los pies puede ser muy eficaz cuando una persona ya casi no tiene los pies en esta tierra.

Las heridas abiertas, las fracturas o las lesiones internas no deberían tratarse directamente hasta que estemos asistidos por ayuda profesional. Lo mejor es preocuparse de la persona, que casi siempre padece más por los efectos de una conmoción o de los dolores que por la idea de cuándo volverán a sanar sus huesos.

De vez en cuando, como terapeuta, tendrás la sensación de no avanzar o de avanzar demasiado poco en un punto o un órgano concreto. Con el segundo grado podrás trabajar con afirmaciones, pero ni siquiera eso es suficiente siempre.

Si deseas aumentar el efecto o trabajar sólo con el primer grado, existe una posibilidad que funciona muy bien. Una mano se mantiene en el lugar indicado, y la otra se desplaza al tercer ojo (situado entre las cejas), a la parte posterior de la cabeza o sobre el chakra coronal. Una vez que has encontrado el lugar correcto en ese punto que anteriormente no quería absorber adecuadamente la energía, notarás que transcurridos entre tres y treinta segundos se produce un claro aumento del flujo de energía. Aparentemente, aquí se mejora la relación entre el órgano inconsciente enfermo y la cabeza, más o menos consciente, y, por lo tanto, aumentan las posibilidades de curación.

Lo mismo cabe decir cuando un punto del cuerpo necesita mucha energía y tú tienes la sensación de que ese punto no cesa nunca de absorber energía aunque lo trates durante dos horas. En este caso, a veces es de gran ayuda colocar una mano sobre la cabeza o sobre el corazón. Los canales que trabajan con el segundo grado también pueden mejorar la absorción de energía de este punto mediante una terapia mental con afirmaciones, partiendo de la cabeza.

El punto que aumenta el flujo de energía también puede encontrarse en ocasiones en cualquier otro lugar del cuerpo. Para encontrarlo, debes dejarte guiar por tu intuición o ir probando hasta localizarlo correctamente.

Terapia abreviada

EXISTE LO QUE SE DENOMINA «terapia abreviada», que dura entre cinco y quince minutos, y que se realiza con el cliente sentado. Está pensada para dar energía y relajación a alguien sin necesidad de invertir mucho tiempo, pudiéndonos encontrar en la oficina, en casa o en cualquier otra situación. No pretende en modo alguno sustituir a una terapia básica, es decir, profundizar ni desencadenar procesos en un plano profundo. Por lo tanto, esta terapia abreviada también es adecuada para personas que no conocen el reiki, que tal vez tengan algo de miedo ante él, o sencillamente que «no creen en el reiki». A esas personas puedes ofrecerles tranquilamente una terapia abreviada a título de prueba. Para algunas personas esto representa una posibilidad de acercarse a temas como el reiki tanteando cautelosamente.

Naturalmente, alguien que ya conozca el reiki también se alegrará en igual medida.

Como ya hemos dicho, la terapia abreviada se realiza sentado y no debería durar más de quince minutos. En caso contrario, existe la posibilidad de que el sujeto de la terapia entre en una relajación excesivamente profunda y después necesite demasiado tiempo para poder reincorporarse tranquilamente al trabajo.

Aquí también es aconsejable quitarse los adornos y los relojes, así como lavarse las manos y realizar una pequeña oración antes y después de la terapia. Precisamente, en la oficina o en cualquier otro lugar de trabajo debes prestar especial atención de no efectuar la terapia directamente delante de una pantalla en funcionamiento o de una máquina de gran tamaño.

De forma muy especial, a las personas que se acercan con escepticismo al reiki debes decirles que cierren los ojos antes de extender su aura. Con alguien que quiere ser tratado pero que tiene muchas dudas, la extensión del aura podría aumentar innecesariamente la resistencia interna, por tratarse de un presunto arte de birlibirloque. En caso de que sea inevitable que alrededor se congreguen muchos compañeros escépticos, puede ser acertado efectuar una relajación del aura mentalmente y con los ojos.

Las posiciones que indicamos a continuación no constituyen una prescripción fija, pero componen una sucesión que permite con poco trabajo obtener un buen flujo y una buena compensación de la energía.

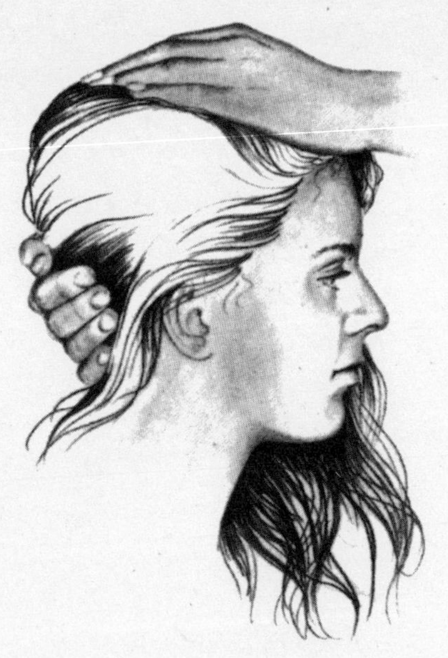

Terapia abreviada. Posición 1

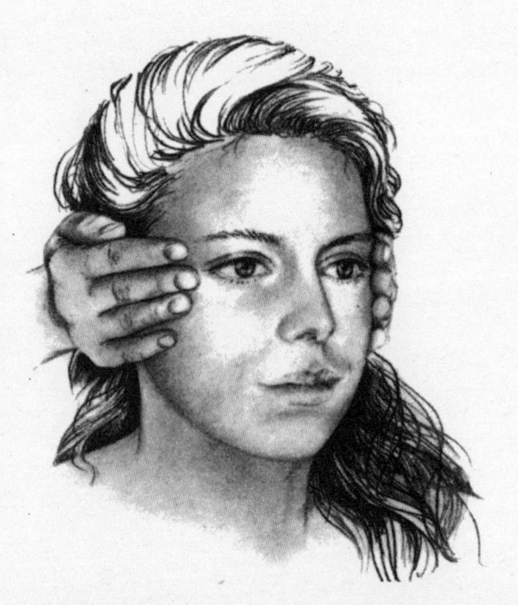

Terapia abreviada. Posición 2

TERAPIA ABREVIADA. POSICIÓN 1

Con la terapia abreviada también es mejor comenzar en la cabeza con la posición de salutación, al igual que en la terapia básica. Por lo tanto, coloca una mano sobre el chakra coronal y la otra sobre el tercio inferior posterior de la cabeza; la mano superior también puede colocarse sobre la frente.

TERAPIA ABREVIADA. POSICIÓN 2

A continuación, trata los oídos, abarcándolos desde atrás suavemente con las palmas de las manos.

Terapia abreviada. Posiciones 3 a 6

TERAPIA ABREVIADA. POSICIÓN 3

Acto seguido, ambas manos se colocan sobre el músculo trapecio que, como ya se ha mencionado, es el músculo típicamente dañado de las personas que efectúan trabajos sedentarios ante un escritorio. Ambas manos deberían estar bastante cercanas al cuello, sin tocarlo directamente.

En la oficina es precisamente donde esta posición puedes mantenerla durante más tiempo que las demás, puesto que sólo el calor ya produce efectos positivos.

TERAPIA ABREVIADA. POSICIÓN 4

A continuación, coloca una mano sobre el pecho a la altura del chakra del corazón y la otra en la espalda. Tanto en esta posición como en las subsiguientes puedes imaginar que la energía forma entre las manos un campo de fuerzas que recarga a la persona.

TERAPIA ABREVIADA. POSICIÓN 5

Ahora le toca el turno al chakra del plexo solar, actuando desde delante; no olvides que al ser un chakra de absorción debe tocarse con una precaución extrema. La mano que se coloca a la espalda estará a la altura de los riñones.

TERAPIA ABREVIADA. POSICIÓN 6

Para finalizar, con la mano delantera se trata la región ventral inferior, colocando la mano un palmo por debajo del ombligo, mientras que la mano situada detrás se coloca lo más abajo posible, sobre el cóccix. Con esta posición se alcanzan el primer y el segundo chakra.

Aquí termina la terapia abreviada. Naturalmente, pueden efectuarse a discreción otras posiciones, tanto intercaladas como a continuación, pero en ambos casos tendrás que prestar algo de atención al tiempo disponible.

Existe una importante diferencia respecto a la terapia básica: el aura se extiende hacia abajo tres veces de forma absolutamente normal. Pero a continuación se «sacude» hacia arriba varias veces con movimientos rápidos pero suaves y manteniendo las manos a una distancia suficiente del cuerpo, al menos treinta centímetros. Para finalizar, el sujeto de la terapia normalmente desea reintegrarse a su trabajo de inmediato en perfecta forma y totalmente despierto.

También aquí es imprescindible lavarse las manos.

Efectos secundarios

PRIMERAMENTE DEBO EXPLICAR con más precisión el concepto de «efectos secundarios» tal como se utilizará en nuestro caso.

Por lo general, se entiende por efectos secundarios (dado que los conocemos por los prospectos que acompañan a los medicamentos) fenómenos concomitantes indeseados que pueden ser provocados por los componentes químicos de un medicamento. Son influencias que no pueden separarse del efecto deseado, bien porque no pueden descomponerse más los componentes del medicamento, bien porque un órgano reacciona a determinadas sustancias de forma muy positiva (al menos, en el sentido de la medicina académica) y otro de forma muy negativa.

Entendido en este sentido, en el reiki no existen efectos secundarios.

En cualquier caso, existen reacciones que para algunas personas son más bien desagradables, por lo que prefieren evitarlas a toda costa y las denominan efectos secundarios. Con respecto a estas reacciones, naturalmente, voy a explicar con más detalle cómo hay que entenderlas y cómo puedes manejarlas o qué actitud deben tener ante ellas tanto el terapeuta como el cliente cuando se atraviesan tales fases.

Pretender reprimir o soslayar estas reacciones desagradables tiene poco sentido, puesto que pertenecen al proceso de aprendizaje de la vida igual que los dolores cuando salen los dientes, las enfermedades infantiles o las dificultades de la pubertad.

Independientemente de este hecho, un manejo erróneo del reiki puede producir reacciones desagradables o «efectos secundarios».

Estos efectos secundarios pueden ser, en primer lugar, hiperreacciones de los efectos mencionados con anterioridad, que correctamente tratadas se mantienen dentro del límite de lo soportable o incluso pueden evitarse por completo.

En segundo lugar, existen transferencias de síntomas o energías que no están directamente relacionadas con el reiki pero sí con un aumento de la sensibilidad; a pesar de todo, consideraré importante hacer referencia a ellos en este libro porque, tarde o temprano, muchos canales se verán enfrentados a ellos. Las repercusiones pueden hacerse a veces muy desagradables y, esporádicamente, incluso peligrosas, pero pueden evitarse totalmente. Por desgracia, muchos maestros de reiki niegan la posibilidad de transferir síntomas, por lo que a sus alumnos les resulta especialmente difícil liberarse de ellos.

Voy a comenzar con las reacciones «normales» que afectan a todas las personas que efectúan una terapia o que evolucionan en su camino vital. Dado que el desarrollo se ve considerablemente acelerado por el reiki, los canales de reiki ya iniciados o las personas que reciben mucho reiki deben ocuparse con más intensidad de ellas. A pesar de todo, con las reacciones correspondientes recomiendo a mis alumnos que en la primera época después de la iniciación conviertan en un hábito colocar una mano sobre el corazón y otra sobre el plexo solar cuando se duerman.

De esta forma, con tus propias dolencias recordarás más fácilmente que en las manos sigues teniendo esa posibilidad.

Fase de depuración

Mediante el reiki la persona se ve estimulada a liberarse de todo el lastre que acumula, tanto físico como psíquico. Esta fase puede durar desde unos días hasta algunos meses, discurrir de forma totalmente intangible o tener una apariencia bastante dramática. Naturalmente, a mí sólo me interesa cuando su transcurso es dramático, puesto que en caso contrario no surgen problemas.

Con frecuencia se defiende la opinión que un transcurso dramático de esta fase es bueno e incluso necesario, y que en su caso normal dura veintiún días. Y no tiene por qué ser así, puesto que un transcurso violento sólo indica que están pasando muchas cosas y que hay algo en movimiento. A pesar de todo, puedes mitigar mucho las sensaciones dramáticas o prestar apoyo al cuerpo y al alma de forma que estas reacciones no se hagan necesarias en absoluto. Además, tampoco existe una duración fija para este proceso.

Como ya hemos indicado, lo mejor es que empieces una terapia con cuatro tratamientos en días consecutivos.

Estas cuatro primeras sesiones pueden hacer que el cuerpo comience a liberarse de sus toxinas. Lo que se evidencia, por ejemplo, por el color más oscuro de la orina, por una variación o intensificación del olor tanto de la orina como de las deposiciones, que en algunos casos pueden oler extremadamente fuerte debido a la intensa excreción de toxinas. También ocurre ocasionalmente que en la primera fase algunas personas tienen diarrea, algo que también debe valorarse como una depuración. Mientras el sujeto de la terapia no haga sus necesidades más de tres veces al día no hay que preocuparse durante un periodo de una o dos semanas. Si las excreciones son más frecuentes o se prolongan durante más tiempo, debe recurrirse a un terapeuta o un médico experimentado para asegurarse de que no se produce ninguna carencia de líquidos o minerales. A pesar de todo, incluso en esos casos es importante no reprimir la posibilidad de excreción del cuerpo.

En caso de que haya enviado al médico a un cliente que padezca una diarrea persistente, el cliente no debe atiborrarse de medicamentos, que lo que consiguen es inhibir los movimientos, del intestino. Por desgracia, ésta es la práctica más habitual en la medicina general, aun cuando su ayuda casi siempre es sólo a corto plazo. Como el cuerpo intenta liberarse de toxinas a través del intestino, cualquiera puede imaginarse lo que puede resultar de una terapia inhibidora semejante: las toxinas permanecen en el intestino y son parcialmente reabsorbidas por el cuerpo. Con ello se reduce el efecto curativo del tratamiento de reiki. La tierra curativa (ultrafina, comprada en la farmacia), por ejemplo, absorbe las sustancias tóxicas, produce una sedación de la mucosa intestinal y suaviza la diarrea, pero no paraliza el intestino; por lo tanto, no se interrumpe la excreción. Paralelamente, en todos los casos debe beberse en abundancia, puesto que, a través del intestino, el cuerpo elimina mucho líquido. Este proceso puede durar perfectamente más de uno o dos días, pero desde mi punto de vista es mucho más razonable.

Lo mismo se aplica, naturalmente, a la piel: si durante la fase de depuración aparece una piel impura, sería muy poco inteligente efectuar una terapia con pomadas y cremas para ocultar las impurezas. Mejor sería una limpieza cuidadosa: en el caso de las pieles sensibles tal vez con una crema que proteja contra el aire agresivo de las ciudades, y en otros casos continuando con la estimulación de la depuración general descrita más abajo.

En casos de que se produzcan tales reacciones exageradas, como la diarrea o intensas impurezas dérmicas, debería estimularse el trabajo de otros órganos excretores, tratando los riñones, el hígado y los pulmones abundantemente con reiki.

Además, el cliente puede ayudar fácilmente a sus riñones bebiendo más de lo normal en ese periodo. Puede ser perfectamente de tres a cuatro litros de agua por día, té o zumos de verduras o frutas diluidos.

Dado que la piel es uno de nuestros órganos excretores más importantes, puedes aconsejar al cliente que efectúe una vez al día un cepillado en seco a conciencia de la piel. También tiene un excelente efecto una ducha fría por las mañanas, si bien no todas las personas están dispuestas a tomar una ni tampoco es recomendable para todas, como puede comprenderse fácilmente. A las personas por naturaleza frágiles, sensibles y de extremidades finas una cura semejante no les hace mucho bien. Dado que esas personas perciben todos los estímulos con mayor intensidad que las personas de movimientos o alimentación más robustas, en su caso los estímulos más débiles son suficientes para desencadenar las mismas reacciones.

Por supuesto, a este respecto hay que mencionar la sauna. Casi todas las personas pueden meterse en la sauna, excepto los enfermos graves del corazón o con graves alteraciones circulatorias. En cualquier caso, por mi propia experiencia puedo decir que, con un proceso de habituación paulatino, la sauna, es recomendable para muchas más personas de las que creen los hiperprecavidos médicos. Lo único necesario es hacer una autoexploración atenta que muy pocos médicos confían a sus pacientes. En cualquier caso, después de cada sauna las personas de natural sensible deberían refrescarse rápidamente, puesto que de lo contrario la situación sería crítica para su circulación. Como para los usuarios de la sauna existe información suficiente, no voy a incidir más en este aspecto.

En este punto también debes tomar muy en serio los pulmones, cuya «superficie excretora» tiene el tamaño de un campo de fútbol. Dar todos los días un tranquilo paseo de media hora, parándose a intervalos para observar la respiración: cosas tan sencillas como ésta pueden obrar milagros mayores aún que los de cualquier buena terapia o medicina material.

Existen otras medidas que apoyan la estimulación de la excreción general. Si las aquí propuestas no son suficientes, debes recabar el consejo de un buen terapeuta o un médico con experiencia en medicinas naturales, puesto que un mismo método no siempre es el mejor para todas las personas.

La fase de depuración incluye también el eventual reavivamiento de enfermedades crónicas. Si el cuerpo ha recibido a través del reiki la energía para desprenderse de una antigua enfermedad crónica, ésta se convertirá primero en aguda. Esto es un proceso completamente normal que no debe reprimirse.

Una importante reacción sana es la fiebre, que tampoco deberías combatirla de inmediato a golpe de productos químicos. Un cuerpo que no se ha debilitado por una prolongada enfermedad soporta sin mayores complicaciones 39 grados durante una semana. Y los niños, incluso considerablemente más. Sólo después deberías comenzar a bajar la temperatura. Lo mejor es poner compresas frías sobre las mejillas, cambiándolas tan pronto como se hayan calentado, aproximadamente cada 5 ó 15 minutos. Después se renuevan constantemente hasta que la temperatura haya descendido sensiblemente y el paciente se encuentre mejor. Sólo si esta medida no es suficiente deberías utilizar medicamentos antipiréticos o recabar el consejo de un médico.

En general, recomiendo fiarse de las reacciones del cuerpo, escuchar atentamente la voz interior y tener algo de paciencia si el proceso de depuración dura algo más de lo deseado.

Aumento de la sensibilidad

Éste es un tema delicado.

Un aumento de la sensibilidad no se desencadena sólo por una iniciación reiki o por el reiki mismo, sino que se produce fundamentalmente por el trabajo con reiki. Se produce prácticamente en todas las personas que tienen un contacto intenso con el reiki, tanto en calidad de cliente como en calidad de terapeuta. Te resultará fácil imaginar que después de una fase de depuración una persona que se ha liberado parcialmente de escoria física y psíquica sea más sensible y receptiva a los estímulos interiores y exteriores. Además, el trabajo con el reiki comporta que escuchas con más exactitud a tus percepciones físicas y a tus reacciones. Naturalmente, esta práctica también aumenta la sensibilidad, que sólo indirectamente es desencadenada por el reiki.

Por desgracia, muchos maestros del reiki niegan el aumento de sensibilidad o no la toman suficientemente en serio. Este aumento es en realidad algo deseable y extremadamente positivo, pero también puede conducir a problemas serios si el practicante o el cliente no saben cómo manejarlo.

Por ejemplo, es perfectamente posible que después de su iniciación o luego de varias terapias a alguien ya no le guste ir a su discoteca habitual porque de repente la música le parece demasiado alta y el aire demasiado viciado. Eso debe valorarse lógicamente de forma positiva, puesto que su cuerpo se defiende contra estas formas de vida insanas.

También puede suceder que alguien ya no pueda soportar una situación vital que le resulta inadecuada o insatisfactoria. Y tal vez de repente sienta de nuevo una insatisfacción que ha estado reprimiendo durante años o décadas. De ahí surge el deseo de cambiar algo. Por fortuna, el reiki da simultáneamente mucha energía, es decir, que posibilita provocar cambios.

Consecuentemente, la mayoría de las veces estos cambios de las condiciones de vida comportan una confrontación con el entorno o con las personas con las que convivimos. A fin de cuentas, ellas están acostumbradas a alguien que reacciona, piensa y vive de una determinada forma.

Esa insatisfacción, o los cambios de actitud que son consecuencia de la misma, también pueden considerarse como efectos secundarios no deseados, y en tal caso lo mejor es dejar descansar durante un tiempo el tema del reiki.

Sobre los posibles problemas que pueden surgir con personas del propio entorno cuando uno se pone en camino me gustaría contar una pequeña fábula:

Un turista fue a pasear a la costa italiana y vio a un viejo pescador de langostas sentado a la orilla. Tras él había un gran cubo con cinco langostas que había pescado. Las langostas trataban incesantemente de alcanzar su libertad. Picado por la curiosidad, el turista tocó con un dedo en el hombro al pescador de langostas y le dijo: «Buen hombre, las langostas están a punto de salirse del cubo, una ha llegado ya hasta el borde.»

Sin volverse, el viejo contestó tranquilamente: «¿Sabe una cosa?, aunque alguna consiguiera de verdad auparse hasta el borde ayudándose de su pinza, las demás se encargarán con toda seguridad de hacerla bajar.»

Algo más problemático es cuando, después de algunas sesiones, a un cliente no le gusta ya, por ejemplo, viajar en autobús, porque hay algo en los compañeros de viaje que le resulta desagradable y se ha vuelto tan sensible por el reiki que ya no los puede soportar. Muchas personas no pueden evitar viajar en autobús, por lo que debe existir la posibilidad de encontrarse bien en él.

También es posible que alguien quiera abandonar el trabajo porque sienta que no le hace avanzar o no le aporta nada bueno. Sin embargo, pocas son las personas que están en condiciones de abandonar su trabajo simplemente porque notan que no les divierte. Aquí, tal vez es necesario adoptar una decisión en contra del sentimiento y resistir un tiempo más. A la larga, probablemente cambiarán muchas más cosas de lo que al principio se consideraba posible.

Existen distintas posibilidades de mantener dentro de una cota soportable estos aumentos de la sensibilidad o de dosificarlos de forma acorde con la situación particular de cada caso. Todas se basan, por un lado, en la concentración y la visualización, es decir, que deben entrenarse estos ejercicios para que se produzca el efecto deseado. Unos lo consiguen más rápidamente, mientras que otros pueden necesitar un tiempo considerablemente mayor hasta que sus síntomas remiten. Exige, por tanto, algo de autodisciplina si realmente quieres conseguir los mejores resultados posibles con el reiki.

Por otro lado, también hay ejercicios muy prácticos y fáciles de realizar, y algunas reglas que ayudan mucho a integrar mejor la sensibilidad.

Para garantizar una exposición resumida y una consulta rápida he resumido en un capítulo independiente los ejercicios y los viajes fantásticos a que me refiero.

A veces es adecuado reducir la dosis de reiki. Cuando la hipersensibilidad no se limita a cosas nombrables, sino que domina y ofusca todo el pensamiento y el sentimiento, es el momento de abandonar durante un tiempo el reiki, tanto en calidad de terapeuta como en calidad de cliente. Entonces deberías ocuparte de cosas más prosaicas hasta que remitan los síntomas, efectuar algunos de los ejercicios incluidos en el último capítulo o, si no se produce ninguna mejora, confiarte a un terapeuta. El terapeuta debe ser cualquier persona que trabaje con terapias psicológicas, pero que conozca también los problemas espirituales. Yo sería cauteloso con los «terapeutas» que creen dominar todos los problemas con péndulos y cartas del tarot: en ocasiones saben demasiado poco de auténtica espiritualidad.

Sobrecarga

He sido yo quien ha relacionado este concepto con el reiki. Con él describo un complejo de síntomas que va parejo con una sensibilidad exagerada, eventualmente con ansiedades intensas e inexplicables, y que, a veces, muestra síntomas de manía relacional (es decir, el cliente relaciona consigo mismo o entre sí cosas con las que se topa o que ve, aun cuando no exista ninguna relación).

También ocurre que algunas personas tienen dificultades con sus pies, rodillas o piernas, en forma de dolores inexplicables, inseguridad al andar o menor capacidad de carga en la pierna en su conjunto. También lo considero síntoma de una pérdida de su relación con la realidad terrenal, con el «suelo que pisamos».

Esas cosas pueden suceder cuando alguien recibe demasiado reiki para sus condiciones. Aquí los clientes extremadamente lábiles están más amenazados que las personas que tienen los dos pies bien asentados sobre el suelo.

Lo más llamativo de todo es que esa persona ya no tiene una relación fija con las realidades. Realidades que, dado que existen diferentes planos, incluyen fenómenos totalmente divergentes, si bien todos correctos y coherentes en sí mismos. Naturalmente, casan a la perfección entre sí, pero para ello debes haber experimentado tanto que seas capaz de crearte una visión de conjunto. Si se mezclan previamente las particularidades de diferentes planos, en general no conseguirás arreglártelas en uno de ellos. En el plano material, la denominada «realidad», el problema se hace evidente para la mayoría de las personas.

Esta falta de referencia a la realidad puede mostrarse en cosas absolutamente prácticas, como problemas con el trabajo, las comidas regulares o enfados con el vecino o los miembros de la familia.

Karl trabajaba en una fábrica en la cadena de envasado de queso. En realidad, era una actividad demasiado estúpida para él, pero no le iba bien: era bastante lábil y con frecuencia estaba demasiado atareado para poder concentrarse en más cosas. Entonces trató de eliminar sus problemas con el reiki. Primero provocó trifulcas con sus padres, a los que no les alegraban sus repentinos, aunque justificados, arrebatos de cólera.

En lugar de seguir trabajando con él, tomó mucho reiki de un autodenominado «grupo de sanadores», y sus miembros le enviaban diariamente reiki a distancia. Él se sintió como en una nube, dejó de estar furioso con sus padres y nada le podía pasar; como él mismo dijo, le iba de maravilla.

No obstante, el entorno reaccionó a sus gafas de color de rosa y le mostró que la realidad no era rosa, sino multicolor. El queso no quería meterse en sus envases por meditación, y cuando no dormía durante dos noches porque se las pasaba escuchando su inspiración divina, por desgracia estaba demasiado cansado para trabajar. En este caso no era posible ayudarle con reiki: primero tenía que regresar a la Tierra y ocuparse de la realidad material.

Naturalmente, para enjuiciar si alguien está enredado con sus realidades no necesitas involucrarte en la situación vital del afectado. Puede ocurrir perfectamente que esa persona desee liberarse de la situación que lo comprime, y, por lo tanto, en principio actúe de forma muy peculiar sobre su entorno inmediato. Por ejemplo, los padres de Karl pensaron inicialmente que debía someterse a tratamiento porque no tenía relación alguna con la realidad, aun cuando los arrebatos de cólera precisamente se desataron durante las primeras sesiones y tenían razones absolutamente «reales» que procedían del proceso de disolución. Después, cuando por una sobredosis de reiki se sentía sobre una nube, al menos había recuperado su carácter alegre, lo que consolaba a sus padres, aun cuando ya no estaba en la «realidad».

En este ejemplo el reiki no ha sido el único causante de la sobrecarga, pero ha potenciado tanto el carácter lábil del cliente que éste no pudo seguir evolucionando.

Quién se encuentra realmente en una situación semejante y desconoce la realidad o debe cambiar algo, sólo puede enjuiciarlo alguien que tenga experiencia y que no esté involucrado en la situación.

A las personas con síntomas de sobrecarga no se les puede ayudar a avanzar sólo con reiki. Deberían hacer una pausa con el reiki, observar las reglas de comportamiento y aprovechar los ejercicios que figuran en el apéndice. Si nada de ello supone una ayuda en unos pocos días, debería buscar al mismo tiempo ayuda terapéutica.

Transferencia de síntomas

Lamentablemente, el tema de la transferencia de síntomas lleva siempre a controversias. Casi todos los maestros de reiki que he conocido son de la opinión de que no existe la transferencia de síntomas, o al menos de que los síntomas no tienen nada que ver con el reiki. En este punto tienen razón: la transferencia no tiene lugar a través del canal por el que fluye la energía reiki, sino que, según indica mi experiencia y la de mis amigos y colegas, es fundamentalmente posible en cualquier persona. En mi opinión, la transferencia de síntomas es otra forma de expresión de la simpatía humana.

Cuando alguien se ha decidido a trabajar con reiki, probablemente entrará con más frecuencia que antes en contacto con problemas y enfermedades. También la decisión de ayudarse a sí mismo y a los demás potencia al menos la participación en tales problemas y enfermedades. En relación con el aumento de la sensibilidad que hemos descrito anteriormente, el trabajo con el reiki, y, en último término, también la iniciación, puede llevar a que los síntomas del cliente se sientan antes y también se puede producir una «transferencia de síntomas».

En ocasiones, se afirma que una iniciación reiki ofrece protección automática contra las energías negativas; desgraciadamente, eso es una ilusión. Es cierto que con el reiki estamos más ligados al cosmos y al amor, y, por lo tanto, que somos menos sensibles a las vibraciones perturbadoras o a las enfermedades, pero no existe una protección absoluta.

A su vez, otros dicen que si vivimos íntegramente en el amor sin ningún tipo de aspiración o asidero, es decir, sin ego, no puede pasarnos absolutamente nada. Esto es correcto en parte: normalmente, no nos pasa nada cuando estamos realmente centrados en el corazón. Aun cuando es cierto que nos acercamos a este estado ideal a través del reiki, y en particular durante las terapias de reiki, personalmente no he conocido a ningún canal de reiki ni a ningún maestro de reiki sin ego. A fin de cuentas, los canales reiki no están centrados automáticamente en el corazón por medio de su iniciación, puesto que muchos no saben en absoluto lo que quiere decir esta palabra.

Además también es posible que en el amor a su cliente, amigo o cualquier otro congénere absorbamos una parte de su karma. Esto no tiene por qué ocurrir siempre de forma consciente, y a veces sólo se tiene una vaga intuición de que podría ser así. En las páginas que siguen se diferenciará cuándo realmente hay una asunción real de karma o compasión. A pesar de todo, cuando alguien tenga incertidumbre sobre si ha absorbido algo de su cliente y crea no poder solucionarlo, debería acudir a un terapeuta o psicoterapeuta experimentado que conozca en profundidad ese tema.

En tales casos, es necesaria una autoobservación precisa. En caso contrario, es fácil que se pierda en cualquier dirección equivocada. Me refiero, por ejemplo, a un sahumerio de autoiniciación, porque presumiblemente quitas a alguien sus penas con absoluta falta de ego, o porque adoptas una decisión voluntaria y padeces bajo el karma de la otra persona.

Si estás trabajando con el segundo grado y efectúas una terapia a distancia, de vez en cuando sucede además que una presencia a la que no deseabas tratar en absoluto entra en resonancia con la energía y también desea recibir algo. He dicho intencionadamente «presencias» porque pueden ser tanto personas vivas como muertas, y también otros espíritus. En determinadas circunstancias, no sólo quieren absorber energía, sino también entremezclarse de forma completamente activa, aunque, por desgracia, esto no siempre en bien del involucrado. En caso de que notaras algo similar, debes dar por concluida de inmediato la terapia. En el segundo libro que tengo planeado escribir profundizaré en este punto.

Volviendo a la evaluación de los síntomas, que como terapeuta puedes realizar durante o mediante una terapia: recalco una vez más que todos estos síntomas pueden aparecer igualmente o de forma similar incluso sin reiki; sólo que, según mi experiencia, son más frecuentes cuando se trabaja con el reiki.

Básicamente, puedes presuponer que algo no ha ido como debería cuando, después de una sesión en la que has actuado como terapeuta, te sientas peor que al principio.

Existe una serie completa de posibles razones:

1

Estás sentado en postura tan torcida, o tan tieso y agarrotado, que con el tiempo te tensas completamente y puedes tener, por ejemplo, dolores de espalda.

Ayudar en este caso es de lo más sencillo. Lo primero que debes probar es si puedes trabajar mejor sobre el suelo o sobre un banco. Naturalmente, no todos tenemos una tabla de masajes en casa, pero una mesa de cocina estable con una manta doblada puesta encima como base hace sus veces muy bien. Además, el terapeuta debe comprobar si está mejor de pie o sentado en una silla. Para las posiciones de la cabeza, la mayoría de las veces es más agradable trabajar sentado.

Efectuar la terapia sobre el suelo es algo a lo que muchos no están acostumbrados, pero más cómodo de lo que creen después de que se han habituado. Naturalmente, es importante aislarse del frío del suelo mediante un colchón o colocando mantas suficientes.

La altura habitual de las camas es muy desfavorable para los tratamientos, y con ellas la mayoría de las veces se tienen rápidamente dolores de espalda. La cama sólo puedo recomendarla cuando sea lo suficientemente ancha para que el terapeuta pueda sentarse al lado, pero incluso en esos casos el suelo suele ser más agradable.

Por desgracia, no hay ninguna instrucción precisa que te explique cómo puedes relajarte de forma fiable durante la terapia. Dado que para los clientes es importante la presión con la que se impongan las manos y sentirlas lo más relajadas posible, a la mayoría de los principiantes les resulta difícil prestar atención a su propia postura de relajación.

Lo primero que debes tener en cuenta es mantener la espalda recta y relajada. Todo lo demás es rutina y viene por sí sólo con el tiempo.

2

Por nombrar sólo algunos ejemplos, la sesión hace que el terapeuta acuda a cualquier historia propia (una tristeza no asimilada, una lesión antigua o rabia bloqueada) y la traslade a su consciente.

Esto puede ocurrir incluso por el flujo de energía del terapeuta, pero es más probable que en el cliente esté ocurriendo un tema similar. No obstante, ello no tiene nada que ver con la transferencia de síntomas, aun cuando en el primer momento así lo parezca. Por desgracia, ocasionalmente resulta difícil diferenciar.

Voy a explicarlo con un ejemplo: supongamos que alguien está tratando a su cliente con reiki y durante la sesión se siente invadido por la ansiedad. Él se abandona para sentir esa ansiedad. Tal vez llegue incluso a percibir una imagen de un chaval que se halla en una situación que le causa miedo. Cuanto más se introduce en la situación, tanto más siente que ese joven que ve en el cliente tiene miedo de su padre, en concreto, miedo a ser golpeado. El terapeuta se imagina a su propio padre, y se acuerda con precisión del miedo que siempre tuvo él mismo, se ve él mismo como un chaval. Incluso después de la terapia, esta sensación de angustia no lo abandona por completo, aun cuando se haya purificado, y sólo paulatinamente va decreciendo.

En este ejemplo ficticio se ve claramente que el terapeuta mismo está relacionado con esta historia. Por desgracia, no todas las personas se acuerdan de sus propios miedos. Si éstos eran demasiado violentos para poder soportarlos, los habrá relegado y probablemente intentará reprimirlos continuamente. Así, como terapeuta caes fácilmente en la tentación de proyectar tus miedos sobre el cliente, al final él informa de ellos y tú mismo los sientes durante la terapia. Si después de la terapia te purificas a conciencia y te das reiki a ti mismo (por ejemplo, sobre el timo y el plexo solar), cuando el cliente se haya ido el miedo debería desaparecer rápidamente. Esto sería un síntoma de que el miedo no estaba relacionado realmente contigo.

Si, por el contrario, se hace más intenso (o, dicho con más precisión, se percibe de forma más consciente), hay que suponer que en ti mismo se asienta una ansiedad inconsciente no procesada que está esperando a ser aceptada. En tal caso, deberías continuar dándote reiki para ver de dónde procede realmente la ansiedad. Posiblemente, te venga tan claramente al plano consciente un recuerdo como si hubiera sucedido ayer mismo. Aquí debes decidir tú mismo si esta vieja historia sólo se revive brevemente en el recuerdo o si tiene tanta energía que es mejor rescatarla en compañía de un amigo o de un terapeuta para procesarla.

3

El terapeuta absorbe karma del cliente, consciente o inconscientemente, voluntaria o involuntariamente. Tampoco esto está directamente relacionado con el reiki, sino más bien con la disposición de ayudar a otras personas.

La palabra «karma» proviene del sánscrito, y significa que las actitudes buenas y malas de las vidas anteriores de una persona influyen en la calidad y el planteamiento de las misiones en su vida actual. Quitar karma a alguien significa asumir parte de sus misiones y, por tanto, ahorrarle parte de sus padecimientos.

Éste es un tema difícil, por el solo hecho de que no todos conocen estas cosas y no todos creen en ellas. Pero no por eso las leyes kármicas dejan de cumplir su función. No obstante, esta variación de la transferencia de síntomas es realmente rara y no se convierte nunca en un problema para la mayoría de los canales. Según mi propia experiencia, se necesita una evolución propia muy avanzada para verse enfrentado a este problema.

Es típico de la absorción de karma el que los síntomas o dolencias comiencen en el terapeuta incluso durante la sesión, si bien irán empeorando una vez finalice la misma. En algunos casos los primeros síntomas pueden sentirse incluso unos días después.

Entonces tienes un curso de la enfermedad en toda regla. Primero hay un momento en el que las dolencias crecen lentamente, incluso puede llegarse a un nítido punto álgido, y después hay un periodo de sanación hasta la total ausencia de síntomas. Lo característico es que las dolencias no se mitigan sustancialmente con nada proveniente del exterior, y mucho menos pueden curarse. Según mi experiencia, sólo alcanzarás un cambio tangible si te declaras voluntariamente dispuesto a acarrear esa enfermedad o ese karma. Naturalmente, también sirve de ayuda rogar mediante la oración que te resulte más fácil aceptar los síntomas o padecerlos. Si de esta forma no obtienes una mitigación suficiente, o los síntomas persisten durante largo tiempo, debes buscarte un terapeuta que domine este tipo de energía y pueda controlarla.

Una de mis primeras experiencias con lo que he expuesto puede describirse en los siguientes términos:

Después de un día normal de consulta con el encuentro subsiguiente para trabajar con reiki, que se realizaba en mi consulta una vez al mes, durante la última terapia de reiki tuve unos dolores de espalda que en el transcurso de una hora se extendieron por todo el cuerpo convirtiéndose en dolores espasmódicos violentos. Además, comencé a tiritar de forma horrible, y tenía la sensación de no haber sentido más frío en mi vida. En mi casa me metí en la bañera con agua a 41 grados, dejé correr el grifo de agua caliente y al cabo de media hora tuve la sensación de que se me había pasado el frío. A la noche siguiente tuve fiebre alta, y al amanecer del nuevo día no estaba en condiciones de trabajar.

Yo sabía perfectamente que estos síntomas no eran míos únicamente, pero no podía decir con seguridad de quién los había cogido. Tampoco una conversación para aclarar el tema con el presunto causante produjo ningún avance. Tres días después volví a vivir todo por segunda vez, y otros cuatro días más tarde una vez más, si bien ya de forma muy debilitada y sin fiebre. Entretanto, pude ir clarificando de dónde provenía este espectro, puesto que en los días en que me vi afectado sólo había un cliente. El tratamiento subsiguiente también sacó a la luz de qué se trataba. Esos días el propio cliente había tenido vivencias extraordinarias que estaban en clara relación con su pasado y su columna vertebral. Las cosas que él contó también casaban con los sentimientos que yo tuve durante mis dolores. Por fortuna, su columna vertebral ya estaba notablemente mejor. La tarde siguiente a la sesión aún sentía que tenía que procesar algo dentro de mí, pero prácticamente ya no me perjudicó.

Por fin, la siguiente sesión (la última) transcurrió de forma muy agradable y sin «efectos secundarios ni posteriores».

En un plano de conciencia superior puedes decidir consciente y voluntariamente si absorbes efectivamente algo o no. Esto significa que también puedes tomar una decisión negativa y liberarte de todos los síntomas en ese mismo momento. Yo mismo no consigo siempre decidir libremente al respecto, por lo que no puedo dar ninguna instrucción precisa. Además, resulta muy difícil explicarlo en palabras en un libro, pues se necesita una conciencia muy despierta y mucha práctica.

4

Ahora paso a la «transferencia de síntomas» en sentido estricto, tal y como la he considerado aquí.

Primero contaré un ejemplo de mi consulta diaria para aclarar lo difícil que puede ser juzgar si se trata de una transferencia de síntomas.

Una semana después de una iniciación para el primer grado me llamó un alumno que se quejaba de dolencias al tragar y de ligera insuficiencia respiratoria, además de que le picaba todo el cuerpo. Estaba leyendo un libro cuando empezó todo. Él presumió que existía una relación con el reiki y le entró un ataque de pánico porque no sabía cómo podía liberarse de estos síntomas. Para depurarse, ya se había bañado en la bañera, lo que no supuso ayuda alguna, y después se dio algunas vueltas por el césped para mejorar su vinculación con la tierra, por desgracia, sin ningún tipo de mejora.

Me acordé que durante el fin de semana de la iniciación también se había quejado repetidas veces de que le picaban las manos y a veces el cuerpo entero. Era una persona muy sensible y el fin de semana había reaccionado en la consulta al aumento de energía. Supuse que esos síntomas tenían una causa similar y, si acaso, que, debido al aumento de energía, habían emergido de su subconsciente antiguos problemas.

Le pedí que se tumbara en su cama y que no hiciera nada, excepto esperar a ver qué pasaba, olvidándose lo más posible de todo. Yo le efectuaría una terapia a distancia y cuando se sintiera mejor debía llamarme de nuevo por teléfono.

Nada más empezar, lo primero que recibí fue una horrible sensación como de tener una gruesa piedra en la región del estómago, y después me vino un gran espasmo. Primero pensé que una antigua historia suya estaba pasando a su plano consciente para ser procesada. Después de que le había absorbido mucha de esta energía del espasmo, y de haberla dejado fluir a través de mí, los sentimientos desagradables cesaron muy rápido. Algunos minutos después volvió a llamarme y me confirmó que le iba mucho mejor.

Después le conté lo que había sentido y experimentado. Él estaba anonadado de que su estómago estuviera completamente arreglado y de que no hubiera tenido ninguna otra dolencia. Le conminé a que me describiera una vez más el desarrollo preciso de sus síntomas. Sólo después de preguntarle varias veces cayó en la cuenta de que cuando él se encontraba leyendo el libro en el cuarto de estar su hijo entró llorando porque, al juguetear con su amigo, había recibido una patada en el estómago. Mi alumno le había puesto al niño una mano sobre el estómago, y los dolores y el susto de su hijo habían desaparecido de inmediato. Por desgracia, a él le hubiera gustado seguir leyendo y no se dio cuenta de que había absorbido esta pequeña conmoción y que no se había librado de ella.

Con toda seguridad, lavarse las manos conscientemente a continuación habría sido suficiente para depurarse, pero él ya había olvidado completamente el «tratamiento» que había dado a su hijo. Tampoco él sintió la piedra en el estómago porque no sabía hacer fluir la energía, sino que su cuerpo producía los síntomas del bloqueo propio. En este caso se trataba del chakra de la garganta, con la consecuencia de una garganta obstruida.

Él tenía muy poca experiencia con su recién adquirida sensibilidad, pues en caso contrario tal vez habría notado que ese pánico no era el suyo propio. Si yo no hubiera sabido explicárselo, en determinadas circunstancias habría sufrido entre uno y dos días por dicho pánico.

Para facilitar la evaluación de los síntomas, voy a dividir en cuatro partes este cuarto apartado.

La transferencia de síntomas también tiene valor, puesto que es excelente para utilizar como diagnóstico y no debe rechazarse de antemano.

Lo primero que debes aprender es a diferenciar entre simpatía y compasión.

Por ejemplo, si durante el tratamiento sientes el dolor de espalda de tu cliente, hay dos posibilidades: puedes «percibir» esos dolores en ti mismo, es decir, sentirlos sin padecerlos; o puedes sentirlos y considerarlos horrorosos, sufrir por ellos y desear que los dolores cesen lo más rápidamente posible.

En el primer caso percibes los dolores como lo que son, como un medio de indicar la existencia de un problema interno.

En el segundo caso aún no has comprendido que el dolor en sí no es malo. Sólo es desagradable mientras no se acepta.

Esto no significa que debes limitarte a sentarte junto a un cliente que está llorando y no intervenir lo más mínimo, pues esta actitud no tendría nada que ver con la simpatía. Puedes perfectamente llorar con él, si sientes simpáticamente su dolor interno. En cualquier caso, queda a tu libre decisión el grado en que te involucras.

Pero hay que admitir que no es fácil aceptar dolores sin evaluarlos, ni en uno mismo ni en nuestros congéneres.

Sobre este tema, un maestro de zen dice lo siguiente:

Un dolor de cabeza es un dolor de cabeza es un dolor de cabeza.

Si durante las sesiones sientes con frecuencia los dolores de tus clientes, puedes aprender con bastante rapidez a no sufrir por ellos, sino a tratarlos libremente y con autodeterminación. El mayor problema consiste, sin lugar a dudas, en que nuestra razón está acostumbrada a hacernos sufrir bajo los dolores. Mientras tratemos inconscientemente nuestro cuerpo, todo tiene sentido; si no sufriéramos bajo los dolores no tendría ningún sentido cambiar nada, y en algún momento podría ser peligroso para nuestra vida.

Si nos tratamos de forma cada vez más consciente y cada vez con más responsabilidad a nosotros mismos, nos podemos permitir soportar dolores o, simplemente, no sufrir ya bajo los mismos (ver también el capítulo «Ejercicios»).

¿Cómo pueden tratarse los dolores transferidos?

Aquí hay dos posibilidades: o bien dejas que el dolor (o más exactamente la energía del dolor) fluya a través de ti, o bien bloqueas el flujo de energía en un sentido concreto. Ambas cosas necesitan, como es natural, algo de práctica.

Si deseas permitir que la energía fluya a través de ti, es importante que mantengas tú mismo un buen contacto con el suelo: lo mejor es tener ambos pies firmemente sobre el suelo. Después te imaginas cómo la energía es absorbida por las manos, cómo fluye por el cuerpo y cómo es cedida a la tierra a través de los pies. Una excelente ayuda para lograrlo es una ligera variación del ejercicio del árbol que se describe en el capítulo de «ejercicios»; aquí debes visualizar vigorosas raíces que nacen de los pies y se adentran profundamente en la tierra, a través de las cuales entregas todo lo oscuro.

Otra técnica, a veces más eficaz aún, es dejar una mano en el punto del que emana la energía negativa y colocar la otra sobre el suelo. Al hacerlo, te debes concentrar en la imagen de que una mano absorbe toda la energía y la otra transfiere todo al suelo. La mayoría de las mujeres lo hacen mejor con la mano izquierda, mientras que normalmente en los hombres la mano derecha es mejor para absorber. En cualquier caso, lo más sencillo es ceder hacia abajo las energías oscuras y no enviarlas hacia el cielo.

Después de un rato sentirás una inversión del flujo de energía, es decir, que el reiki vuelve a fluir al cliente y tú puedes utilizar ambas manos para la terapia.

Llegados a este punto surge siempre la pregunta sobre cómo se diferencian las energías «buenas» de las «malas».

Si sientes dolores más o menos intensos, un claro malestar o ansiedad, es relativamente fácil clasificar esa energía. Más difícil resulta en el caso de una gran tristeza, de alegría desenfrenada o de un sentimiento de dicha casi insoportable. Tal vez en calidad de terapeuta no hayas sentido nunca sentimientos de esa intensidad. En tal caso, podrían generar en ti miedo o presentarse como malestar físico.

O puede ser sencillamente que no te fíes de tu propio sentimiento a la hora de diferenciar por qué un cliente está llorando quedamente, respirando profundamente o reaccionando con espasmos musculares en todo el cuerpo. O igual crees que un terapeuta no tiene derecho a llorar en medio de una sesión si llora de felicidad. Sería una pena privar de una experiencia tal al cliente por falta de conocimiento.

La posibilidad más segura y también la más sencilla de diferenciar de forma fiable es ver si la energía que sientes y que deseas evacuar es clara u oscura. La alegría, el vigor o la melancolía desatada nunca se mostrarán como una masa oscura tenaz, al igual que la depresión o la rabia destructora no se aparecen como color o luz amistosos.

Por ejemplo, si en una sesión tienes claramente ante tus ojos una de esas masas oscuras, siempre puedes intentar evacuarla, desviarla hacia el suelo y liberar de ella al cliente. Al hacerlo, deberías observar con precisión cómo se comporta esa masa: a veces puede que fluya dentro del terapeuta en dirección hacia la cabeza, otras que se quede fija en cualquier parte del cuerpo. En este último caso, debes guiarla hacia abajo de inmediato concentrándote mentalmente. Si no lo consigues, es mejor protegerse con otro método o interrumpir el tratamiento.

En el caso inverso puede ocurrir, por ejemplo, que el cliente tiemble o respire violentamente y que tú sientas la sensación de tener que llorar realmente, y entonces ves que el cliente desearía traspasarte esa energía triste. Hacerlo desistir significaría privarlo de la vivencia del llanto y, por lo tanto, de una valiosa y liberadora experiencia.

Sólo unas cuantas ideas más:

El hecho de que el proceso impulsado por la energía reiki no quede estancado depende de si te proteges de estas energías o si no las absorbes del cliente pero continúas dándole simultáneamente reiki. En caso contrario, es posible que él abandonara a medio camino y diera la vuelta porque en el momento decisivo del máximo dolor se sentiría abandonado. Y con ello, probablemente, en el futuro le resultaría más difícil introducirse en sus sentimientos y dolores enterrados.

Aquí es necesario distinguir una vez más entre compasión y simpatía. Si padecemos junto con el paciente durante la terapia, realmente no podemos ayudar, puesto que estamos ocupados en rechazar el dolor y nuestro propio padecimiento. Si bloqueamos todo el intercambio de energía entre el cliente y nosotros, le dejamos complemente solo. Sólo con la simpatía, aun cuando al principio tengamos que distanciarnos un poquito, podremos permanecer a su lado y apoyarle en su camino.

Y lo decimos una vez más: también sin compasión podemos llorar junto con el cliente, puesto que son cosas no excluyentes. Podemos llorar *con* él sin padecer por ello; no podemos llorar *por* él.

En este proceso debemos ver exactamente dónde se encuentra el cliente. Por ejemplo, si al estar ante él sentimos su más profundo dolor (caso que puede ser frecuente) y nos zambullimos en él llorando, en determinadas circunstancias él se arredrará y ya no tendrá confianza para vivir esos sentimientos.

Además, quitamos la energía del acontecimiento: por decirlo de alguna forma, le dejamos sin aire. Con ello le habríamos quitado algo antes de que haya tenido la oportunidad de sentirlo, y en él puede establecerse inconscientemente el siguiente sentimiento: «No lo conseguiré solo, hay que mantener alejadas de mí estas cosas horribles, así no salgo adelante.» Esto podría dificultar de forma sustancial su recorrido posterior.

A estas formas de proceder con el sufrimiento debes acercarte lentamente y con tiento, pues a fin de cuentas casi todos hemos aprendido alguna vez que es extremadamente reprochable desde el punto de vista moral no tener compasión. Incluso entre los psicoterapeutas y los terapeutas se encuentran muchas personas que no son plenamente conscientes, con todas sus consecuencias, de esta diferencia, o que incluso en su más profundo interior continúan evaluando de forma fuertemente negativa el sufrimiento. El resultado es con frecuencia que no se puede aceptar en su totalidad una sensación indeterminada y apenas perceptible del cliente. Y, en cualquier caso, dar paso a este sentimiento les resulta particularmente difícil porque el terapeuta aparentemente tiene mucha simpatía con ellos.

A su vez, la mayoría de las veces al terapeuta sólo le va bien superficialmente, puesto que tiene que acorazarse para eludir demasiada compasión, y al mismo tiempo debe dar paso a una parte de ella porque sólo conoce este tipo de contacto, y entonces se compadece. Este tipo de trabajo terapéutico se convierte a la larga en algo muy estresante.

Ruego, una vez más, que pensemos que raras veces tiene sentido quitar de esta forma a alguien su dolor o sus energías negativas. La mayoría de las veces al cabo de unas pocas horas o unos pocos días esa persona volverá a sentirlos, puesto que, a fin de cuentas, el sentido que tienen los dolores es indicar a quien los padece la existencia de un problema interno, y no están ahí por casualidad.

En cualquier caso, algunas personas necesitan una pequeña ayuda para cobrar el valor suficiente para continuar. A ellas puedes aliviarles los dolores o las energías negativas de este modo durante un tiempo. Igualmente, hay casos de enfermedad gravísima con fuertes dolores en los que apenas vemos una oportunidad de sanación completa. En estos casos hay circunstancias en las que de hecho estamos llamados a mitigar el dolor, cosa que entonces está plenamente justificada.

Por otro lado, también hay clientes que durante una sesión intentan endosar al terapeuta todas sus energías negativas porque no quieren ocuparse de ellas por sí mismos. A esas personas sólo les podemos ayudar realmente si asumen su responsabilidad sobre ellos mismos y sus problemas o dolores.

Aquí quisiera aportar una experiencia mía que con frecuencia, pero no siempre, aparece en otros terapeutas:

Si durante la terapia sientes un carraspeo en el cuello como si te hubieras tragado una rana y necesitas llorar de inmediato, con frecuencia la razón estriba en que el cliente no deja pasar al plano consciente algún sentimiento desagradable. Estos sentimientos en forma de energía tratan de abrirse paso desde el cuerpo (inconsciente) a la cabeza (consciente), y el cliente bloquea ese flujo de energía en el cuello. Algunos clientes sensibles también sienten entonces ellos mismos un nudo en la garganta, o notan como si todo se les atenazara. En esta zona especial del cuerpo las personas insensibles tal vez no sientan nada: lo que hacen es transmitirlo directamente a su terapeuta.

Otra característica típica es que este desagradable picor apenas se puede mitigar carraspeando o con prácticas similares, pero si retiras las manos de tu cliente o incluso te las lavas, en ese mismo instante desaparece casi por completo. Como medidas auxiliares también sirven las que describo en el capítulo titulado «Ejercicios».

Un ejemplo extraído de mi consulta lo muestra claramente:

Estaba tratando a un cliente que había intentado con frecuencia traspasarme síntomas y energías. En esa sesión tuve de golpe y porrazo unos violentísimos dolores de garganta que hicieron que las lágrimas se me saltaran de los ojos. Como no tenía resfriado ni nada parecido, colegí que esos dolores no eran los míos propios. Lo primero que intenté es no absorber ninguno de ellos, pero era ya demasiado tarde. Incluso aunque no tocara con las manos a mi cliente me veía forzado a llorar. Me disculpé un momento, salí y me lavé las manos. En ese mismo instante los dolores del cuello desaparecieron como por ensalmo. Con ello confirmé mi primera presunción de que no se trataba de una historia propia, sino de una de mi cliente.

Después de una breve pausa de reflexión volví a entrar para continuar la terapia. Tan pronto como lo toqué vi la energía negativa fluyendo y atravesando mis manos y brazos. De repente bloqueé mis articulaciones de la muñeca para preservarme de ulteriores ataques, pero continué dándole reiki para seguir apoyando su proceso de toma de conciencia como hasta entonces. A continuación pasaron aproximadamente treinta segundos y el paciente comenzó a llorar amargamente.

La desviación de vibraciones negativas no siempre funciona. Cuando el propio terapeuta tiene demasiados bloqueos en su propio cuerpo, estas energías pueden quedarse, por decirlo de alguna forma, estancadas. Esto puede ser así siempre que hayas tratado a alguien y después sientas dolor en un determinado punto o notes malestar de una forma cualquiera, pero siempre similar, independientemente de si has tratado a alguien con dolor de cabeza, con depresiones o con un brazo roto. Si esto sucede con frecuencia, debes someterte a terapia hasta que dejen de existir los bloqueos; en caso contrario, durante las terapias bloquearás el flujo de energías negativas hacia ti.

Existen varias posibilidades de protegerse de estas transferencias de energía (consultar el capítulo «Ejercicios»).

Cuanto más sensibles seas, tanto más notarás cómo actúan estos bloqueos artificiales y tanto mejor podrás actuar. Hasta que lo consigas es necesario practicar mucho.

Con frecuencia, sucede que deseas protegerte de las energías del cliente, pero éstas son más fuertes o más rápidas, de forma que, a pesar de todos tus intentos, las recibes. En este caso, lo mejor es retirar un momento las manos del cliente, visualizar la protección y volverlo a intentar otra vez.

Si a continuación vuelve a suceder exactamente lo mismo, mantén las manos en el aura de esa persona (alejadas del cliente entre dos y veinte centímetros) o busca otro lugar del cuerpo.

Si continúa siendo insuficiente, aun cuando te moleste, puedes lavarte las manos para depurar el propio sistema energético.

Si justo después vuelves a absorber vibraciones negativas sin poder influir sobre ellas sólo queda una solución: debes interrumpir la sesión. Esto debe hacerse con cautela y sutileza, y no debe contarse al cliente que tiene energías tan nefastas que, por desgracia, no has podido tratarle con la terapia. Es perfectamente posible que unos días después la terapia tenga otra apariencia completamente diferente, bien porque el cliente o tú mismo habíais tenido un mal día, bien porque tú estás mejor preparado en esta segunda sesión. Es suficiente con que le digas que en ese momento no puedes manejar demasiado bien sus propias energías y que, por lo tanto, deseas aplazar la terapia.

Una vez que hayas despachado de esta forma al cliente, debes lavarte otra vez las manos conscientemente y después tomarte unos minutos de tiempo para profundizar dentro de ti mismo. Tal vez te surjan espontáneamente ideas sobre las razones por las que la terapia no transcurrió como debía. Incluso podrás recibir una imagen exacta sobre lo que el cliente pretendía traspasarte. Si recibes una de esas imágenes, podrás tratar el tema con cautela antes de la próxima sesión de terapia. Sé cuidadoso para notar a tiempo cuándo el cliente no desea ocuparse del tema. Si el cliente aborta el tema de golpe, en muy pocos casos es bueno continuar profundizando a pesar de su negativa. Además, la mayoría de las veces una breve alusión al tema estimula el procesamiento en el subconsciente. Igualmente, una breve alusión al tema casi siempre estimula el procesamiento en el subconsciente y en las siguientes sesiones de terapia el cliente retornará a él por sí mismo.

Sólo cuando este tipo de transferencia aparezca repetidamente con el mismo cliente, y no tengas ni recibas ideas ni imágenes sobre cuál podría ser el núcleo del problema, deberías trasladar a otro terapeuta con más experiencia el tratamiento de ese cliente.

Naturalmente, también puede suceder que no desees ver un problema en ti mismo y que los problemas del cliente sólo estén relacionados con el tuyo como desencadenantes. Te ruego que te observes con minuciosidad a ti mismo para poder diferenciar correctamente.

Aun cuando ya lo he mencionado anteriormente, vuelvo a repetirlo: has de lavarte las manos después de la terapia o efectuar cualquier otra forma de depuración que sea más de tu agrado. E incluso hacerlo aunque tengas la sensación de que te va todo perfectamente bien y de que no has absorbido nada.

A veces podrías estar tan entusiasmado y lleno de energía después de la sesión de terapia que no seas capaz de notar las energías no beneficiosas que también vibran en sintonía. Tampoco es necesario dar un brinco para depurarse de inmediato; el único problema puede radicar en que, transcurrida media hora, lo hayas olvidado fácilmente. Si después, por la noche te viene a la mente porque cualquier síntoma te lo recuerda, las vibraciones extrañas ya habrán influido algo sobre tu propio sistema. Por ello, en ese momento es más difícil liberarse de los síntomas absorbidos.

Incluso a los terapeutas experimentados les ocurre de vez en cuando que se olvidan lavarse. Si te acostumbras a hacerlo desde un principio asumiendo que forma parte de la terapia, te ahorrarás muchos problemas.

Ejercicios

ESTE CAPÍTULO INCLUYE diversos ejercicios y normas de comportamiento que ayudan a solventar mejor y con más rapidez los problemas que puedan aparecer al trabajar con reiki, o incluso a evitar que aparezcan tales problemas. Los ejercicios tienen, por una parte, una relación inmediata con el reiki, pero si se piensa que el reiki acelera el desarrollo humano y, por tanto, puede hacer más intensos los dolores del crecimiento, la relación es más evidente.

Las normas de conducta son fáciles de cumplir y muy eficaces; algunos de los ejercicios necesitan que transcurra cierto tiempo para que puedas ver el éxito, dependiendo de la capacidad de visualización que tengas.

Además, muestro métodos con los que puedes purificarte eficazmente de las vibraciones absorbidas.

En los viajes mentales he descrito un viaje a un árbol que puedes poner en práctica si tienes la sensación de que te falta seguridad y estabilidad. También se puede expresar diciendo que en la rutina diaria no te las arreglas tan bien como anteriormente (ver también el capítulo «Efectos secundarios», apartado de «Sobrecarga»).

Incluso sin que existan estos síntomas, el viaje es muy recomendable, especialmente para canales que han sido iniciados en el segundo grado. Pero, junto a este viaje, existen otras posibilidades que son igualmente sencillas y eficaces.

Como al trabajar con el segundo grado con frecuencia se penetra en áreas espirituales, algunas personas se hacen un lío con los distintos planos de la realidad y pierden el contacto con la tierra o pierden el suelo firme bajo sus pies.

Además, el reiki es capaz de liberar estructuras y patrones de comportamiento muy manidos. Sólo por ello ya podrás sentirte maravillosamente bien sin ser capaz de decir con precisión qué es realmente lo que pasa.

Aquí se aplican reglas absolutamente sencillas que tienen mucho que ver con la forma de vida natural y la vinculación a la tierra. En sentido estricto, deberías regirte siempre por ellas después de las iniciaciones de reiki, y de manera muy especial cuando sientas los síntomas descritos anteriormente.

Reglas de comportamiento

1

Dormir suficiente y respetar horarios de sueño regulares.

En fases de máximo cambio, la mayoría de las veces se necesita más sueño que en situaciones normales. Como el alma desarrolla mucho trabajo que permanece en el inconsciente, también necesitarás mucho «tiempo inconsciente».

Además, estos cambios suelen ser más estresantes de lo que crees porque no estamos acostumbrados a reconocer que los cambios interiores también suponen un trabajo.

En tales épocas no sólo es importante la regularidad en el sueño, sino en todas las cosas de la vida diaria, como, por ejemplo, el comer, el trabajar o el rezar. Se trata de ofrecer al «sistema hombre» (es decir, cuerpo, espíritu y alma) un cierto orden en forma de estructura en los momentos en que se están cuestionando los patrones de comportamiento a que está habituado.

Por ejemplo, este orden podría tener el siguiente aspecto: irse a la cama todas las noches entre once y once y media, meditar regularmente un cuarto de hora todas las mañanas y orar, comer puntualmente a la una del mediodía.

2

Los alimentos sanos, lo más naturales posibles y sin refinar, son buenos en todos los casos, si bien hay algunas particularidades. Pero cuando los vegetarianos estrictos tengan tales síntomas, no deben comer sólo dieta cruda y verduras ligeras, sino nutrirse también con algunos alimentos «más pesados». Podrían ser, por ejemplo, patatas, que si bien suele considerarse que tienen un efecto abotargador, a veces están perfectamente indicadas. Algo más apreciada es la pasta, que también es excelente para poner en contacto con la tierra. Lo más eficaz para recuperar el contacto con el suelo es en todo caso un buen filete o algo similar (a ser posible no tomar carne de cerdo). Conozco algunos canales de reiki que, después de ocuparse extensamente y durante mucho tiempo con el reiki, necesitaban ponerse en contacto con la tierra con una buena ración de carne. Al hacerlo, media hora después de comer se habían desprendido de todos sus síntomas. A veces incluso una hamburguesa ayuda a restablecer el contacto con uno mismo y con el mundo material.

Naturalmente, no puedo decir qué alimentos son exactamente los que mejor actúan para cada individuo, sino que aquí me importan sólo las regularidades fundamentales.

El fumar tiene aquí un efecto especial: casi siempre inhibe con bastante rapidez y fiabilidad los síntomas, pero, en cualquier caso, pone poco en contacto con la tierra y, de hecho, mitiga la sensibilidad. En casos de emergencia puede ser una ayuda para alguna persona, pero, en general, recomiendo los otros métodos.

También puede ocurrir que alguien sólo se ocupe con el reiki interiormente o de modo inconsciente, es decir, que no realice terapias o efectúe muy pocos tratamientos y a pesar de todo tenga síntomas parecidos. Para estas personas se aplican las mismas reglas que para alguien que se trata a sí mismo u a otras personas todos los días.

3

Trabajar en el jardín, caminar o pasear, la sauna y otras actividades que tienen mucha relación con el cuerpo son muy buenas para mitigar síntomas. Con ello también se integra mejor la hipersensibilidad, sin que por ello sufra la sensibilidad. Es importante saber esto, dado que a veces hay quien fantasea con reacciones casi sobrenaturales (en cualquier modo muy efectivas), mientras que otros que han recuperado a tiempo el contacto con el suelo creen de golpe que no sienten nada. Eso no es verdad en absoluto, sólo que las sensaciones se retraen algo.

Sería completamente equivocado intentar eludir el aumento de la sensibilidad y las sensaciones y sentimientos a él ligados. Aquí ejerce un efecto particularmente negativo ver la televisión, por la rápida sucesión de imágenes alternantes que ofrece, aunque también es poco aconsejable leer una novela policiaca desgarradora. Inconscientemente, el desarrollo interior continúa trabajando y es probable que nos sorprenda después con nuevos síntomas.

Al cabo de algunas semanas toda persona que se haya enfrentado a estos síntomas podrá notar, mediante la autoobservación, qué alimentos, comportamientos e ideas le ayudan, o acaso cuáles son los que la hacen más insegura. En este punto hay que estar atento a uno mismo.

Ejercicios de visualización

Evidentemente, todos los ejercicios de visualización pueden ser realizados por cualquier persona que crea recibir ayuda al hacerlos, o sencillamente que quiera probarlos. Por lo tanto, no necesita ser un canal reiki para realizarlos.

Protección contra energías «negativas» El huevo dorado

Este ejercicio te proporciona una segunda piel que te protege del exterior como si fuera un escudo: te protege contra las vibraciones, impresiones y energías perjudiciales. Está pensado fundamentalmente para protegerte cuando debes mantenerte en un entorno que tiene una radiación desagradable o estresante o que no es buena para ti por cualquier otro motivo. Por ejemplo, al viajar en autobús o en metro, en el trabajo o ante una gran multitud de gente.

Además, el «huevo dorado» puede aplicarse bien cuando te has sensibilizado mucho por el trabajo con el reiki o mediante ejercicios generales de sensibilización y no puedes o no deseas cambiar tus circunstancias de vida.

Para ello, en todo caso, debes ser honrado contigo mismo estableciendo si sólo deseas protegerte de las impresiones durante un tiempo limitado porque no deseas cambiar las circunstancias, o si realmente sería adecuada una modificación de la situación. Al igual que al trabajar con el reiki puedes volverte hipersensible, con un ejercicio de estos o alguno parecido puedes recluirte en tu cascarón.

Una vez que me encontraba en un restaurante de autopista pude experimentar en mi propio cuerpo lo eficaz que este huevo protector puede ser en el plano material.

Un hombre de baja estatura pero muy fornido parece que llevaba bastante tiempo dando golpes y patadas a un hombre que se encontraba en el suelo y a una mujer que gritaba histéricamente. A gran distancia había como cin-

cuenta curiosos, ninguno de los cuales se prestaba a intervenir en modo alguno. Lo único que habían hecho era llamar a la policía. Cuando me dirigí a tres jóvenes fuertes y les pedí que me ayudaran a contener al hombre que se había vuelto loco, se limitaron a murmurar: «podría pasar algo», y se alejaron en sus coches.

Acto seguido, con mi huevo protector en la mente me dirigí a las personas que luchaban. Fuera de sí por la ira, el hombre se dirigió como un toro hacia mí, con la camisa desgarrada y sin calzado y gesticulando salvajemente mientras me insultaba a voz en grito, de forma que por un momento tuve bastante miedo. Pero aproximadamente cuando se hallaba a tres metros de mí se quedó parado de repente: gritaba y gruñía y me amenazaba con los puños, pero no se acercó ni un paso más. Esa situación duró tres o cuatro minutos, después giró sobre sus talones, se subió con sus adversarios en el coche y los tres se alejaron.

Describo este ejercicio de forma que también puedes aplicarlo como viaje fantástico. Por lo general, es suficiente grabarse el contenido del mismo y después imaginárselo. Al principio deberías permanecer en un lugar tranquilo. Y después, cuando hayas adquirido la suficiente rutina, podrás cerrar un huevo protector en torno tuyo en cuestión de segundos para preservarte de ataques. Si tienes pensado ir a unos grandes almacenes o viajar en metro y estimas de antemano que allí no te irá especialmente bien, es razonable cerrar el huevo protector con anterioridad.

El ejercicio de visualización

«Túmbate o siéntate cómodamente, cierra los ojos y escucha un momento tus pensamientos y tu respiración. Pausa.

Imagínate a tu alrededor una envoltura, una envoltura de luz blanca y azul. Vete agrandándola hasta que apenas puedas tocarla con los brazos extendidos. Si cerca se encuentran otras personas, asegúrate de que dentro del huevo te encuentras tú solo; desplaza mentalmente fuera a las demás personas o haz que surja una pequeña abolladura para que queden fuera de tu esfera de luz.

Asegúrate de que en todo momento tienes suficiente espacio. Pausa.

Ahora imagínate que en torno a este huevo de luz radiante blanquiazul hay una cáscara dorada. Está hecha de un material sólido y sólo es traspasada por la luz del sol y otras vibraciones positivas. Esta envoltura dorada refleja todas las energías y radiaciones negativas sin que te influyan. Pausa.

Finalmente, llena el interior del huevo protector con cálida luz amarilla. Llénalo completamente para que puedas bañarte dentro y calentarte en ella. Pausa.

Ahora ya tienes un huevo protector completo, con una pantalla protectora dorada en el exterior que refleja todas las energías negativas, después la envoltura de luz blanca y azul que tiene un efecto sedante y purificador, y en el interior la cálida luz amarilla en la que te estás bañando.

El «huevo dorado» no es necesario abrirlo continuamente, puesto que se diluye por sí solo con el paso del tiempo. Si te mantienes durante mucho rato en una situación que hace necesario un huevo protector, es mejor formarlo de nuevo unas cuantas veces, porque podría volverse permeable.

Huevo de luz dorado

Cinturón de luz

Otra visualización que tiene casi la misma eficacia es el cinturón de luz. Cumple los mismos fines que el huevo dorado.

Imagínate un cinturón de luz blanca a la altura de tu chakra del plexo solar. El cinturón de luz blanca debe estar separado algo más de un palmo de tu cuerpo, tener una anchura comprendida entre diez y veinte centímetros e irradiar la luz más clara posible. Es importante utilizar auténtica luz blanca, puesto que el blanco tiene el mejor efecto protector y curador.

Válvulas en las manos

En el capítulo «Transferencia de síntomas» he descrito cómo puedes protegerte de las energías de tus clientes con ayuda de unas válvulas de energía visualizadas en tus muñecas, siempre que sea necesario protegerse durante una sesión. No quisiera dar unas instrucciones demasiado precisas para no frenar la fantasía de nadie.

Las planchas de plexiglás en las muñecas serían una posibilidad. También puedes imaginarte una puerta de batientes que sólo se puede abrir en una dirección, o podría tratarse también de puertas de esclusa o válvulas de bicicleta. Alguien podría tal vez preferir imaginarse que la energía reiki va barriendo todo como una ola oceánica, de forma que las energías oscuras no tienen oportunidad alguna de avanzar contra la corriente.

No menosprecies el efecto de estas imágenes interiores. Con un poco de ejercicio puedes conseguir mucho con ellas.

Ejercicios de depuración

Lavarse las manos

Ya he descrito que lavándose las manos con el agua corriente del grifo pueden eliminarse muy bien las energías negativas. Y ello es válido tanto para las energías propias (por ejemplo, el nerviosismo o el mal humor) como para las energías ajenas que se han absorbido durante una sesión. Las naturalezas sensibles, a veces, también recopilan vibraciones negativas de cualquier tipo en el autobús o en la calle, sobre todo en la fase inicial en la que aún no son conscientes de su nueva actitud abierta. Si alguien sabe que tiende a ser demasiado sensible y alguna vez se siente mal sin razón aparente, debería pensar en ello y hacer un intento con un ejercicio de depuración. Además podrías convertir en un hábito llevar un huevo protector cuando te encuentres en público.

Mientras te lavas las manos, dirígete interiormente a ti mismo diciendo: «ahora estoy desprendiéndome de todas las energías que no me pertenecen»; «el agua transparente me limpia de todas las vibraciones y energías negativas»; «Ahora estoy desplazando todas las vibraciones que suponen una carga hacia mis manos y las elimino lavándolas hasta que me encuentre completamente transparente y puro». Como es lógico, también puedes pensar tus propias formulaciones al respecto.

No necesitas jabón. Además, la mayoría de las veces el mejor efecto se consigue con agua realmente fría; si te has lavado con agua caliente, después mantén las manos un rato bajo el agua fría.

Ducha

A veces un lavado de manos concienzudo realizado con conciencia no es suficiente. Antes de que las vibraciones negativas del día te echen a perder deberías meterte bajo la ducha y realizar ahí otra vez el procedimiento de depuración.

Dirige el chorro de agua al extremo superior a la columna vertebral y deja que fluya hacia abajo resbalando por la espalda. Si esto no es suficiente, deberás lavarte también el cabello. En este caso, el agua no debe estar fría; pero ayuda más si por lo menos al final se utiliza una breve ducha fría.

Recuerda que debe tratarse de agua corriente. Si te metes en la bañera con estos problemas, es posible que en determinadas circunstancias obtendrás el efecto contrario.

Un efecto muy similar se consigue con el ***ejercicio para los pies***.

Donde más ayuda aporta es después de un largo día en el que tal vez hayas absorbido gran cantidad de diferentes energías.

Deja que sobre tus pies corra el agua caliente. Sé que no es excesivamente ecológico, pero tampoco debe hacerse durante mucho tiempo. Después, abre lentamente el grifo del agua fría, cada vez más, hasta que esté completamente abierto. A continuación, cierra lentamente el agua caliente hasta que el agua que salga del grifo esté helada, y mantén los pies bajo el chorro de agua fría unos veinte o treinta segundos. El lavado completo no debe durar más de dos o cuatro minutos, pero depura maravillosamente de las energías negativas. A continuación, vete directamente a la cama o reposa media hora con los pies envueltos.

Sacudir las manos

Una operación muy sencilla (aunque, naturalmente, no tan eficaz) es sacudir las manos. Durante una sesión puedes utilizarlo perfectamente si deseas depurar sus manos con rapidez. Para ello, sacude las manos manteniéndolas tan alejadas del cuerpo como si fueras a sacudirles el agua. Presta atención a arrojar las energías sobre el suelo y no sobre tus propios pies o la silla del escritorio. Aun cuando pueda parecer extraño, las energías pueden quedarse ahí y ser una carga cuando te sientes en la silla.

Más adelante describo cómo pueden evacuarse energías a través de las manos hacia el suelo. Lo mismo funciona igual de bien a través de los pies. Para ello, colócate con ambos pies firmemente apoyados en el suelo e imagínate que tienes raíces que se adentran en el suelo. Después ruega a la Madre Tierra que absorba de ti las energías negativas y que te libere de ellas. Imaginarse las raíces te resultará más fácil si realizas el «viaje del árbol» un par de veces.

En zonas de interferencias, como vías de agua o terraplenes, se realiza particularmente bien. A veces es suficiente imaginárselo conscientemente durante veinte segundos para liberarse de las energías desagradables.

Respiración

Puede que alguna vez tengas la sensación de que la depuración con agua corriente no te ayuda de forma convincente a liberarte de los síntomas, y de que la vinculación con la tierra tampoco parece ser el medio adecuado. Entonces trata de utilizar el aire como medio auxiliar.

Respira deprisa y expulsa el aire de tus pulmones con energía, sobre todo en la espiración. Si se le ocurre algún sonido, no te arredres y utiliza la voz. De esta forma puedes ayudarte muy rápidamente, sobre todo cuando se trata de emociones absorbidas.

Además, en este capítulo existe un ejercicio de depuración en forma de viaje fantástico que, si bien dura un poco más, es muy agradable y eficaz.

Ejercicios para controlar el dolor

Como podrás imaginarte fácilmente, la facultad de controlar el dolor no puede aprenderse de la noche a la mañana. Y en particular para el dolor en el propio cuerpo: no para el que sientes por simpatía durante una sesión de terapia, sino el que sientes directamente en ti. En determinadas circunstancias pueden ser necesarios años hasta que puedas manejarlos de forma relativamente fiable. A pesar de todo, merece la pena empezar. Aun cuando todavía no lo domines a la perfección, aparte del alivio que produce cuando funciona, conlleva siempre vivencias interesantes y concluyentes. Además, la razón se va acostumbrando paulatinamente a que la mayoría de las cosas no son tal como parecen ser.

Para aprender algo así no tiene ningún sentido pensar en ello una vez a la semana y hacer ejercicios durante un par de horas. Debes ocuparte de esta idea de forma que la tengas presente casi permanentemente durante la consciencia diaria. Entonces puedes practicar con cada pequeño dolor, incluso (o precisamente) cuando parezca ridículo. Tal vez esto te haga sentir con mayor frecuencia que algún punto te está molestando. Es algo connatural a las cosas. Aprender de manera sencilla a eliminar todos los dolores también sería posible (por ejemplo, con entrenamiento autógeno), pero no lo considero razonable. Aquí es muy factible la posibilidad de que te engañes a ti mismo.

En concreto no se trata de expulsar los dolores, sino de llevarlos al plano anímico; o dicho con mayor exactitud, a tomar conciencia del plano anímico del problema correspondiente. La mayoría de las veces este aspecto se percibe mucho menos de lo que correspondería por su grado de participación en el conjunto del problema.

En el reiki, tal como yo lo utilizo, tampoco se trata, en primer término, de eliminar el dolor, sino de ampliar la conciencia, de dar pasos de aprendizaje basándose en esa ampliación, y sólo en último término de liberarse del dolor.

Mi primera experiencia, de la que derivé un ejercicio, fue la siguiente:

En aquella época yo hacía muchos trabajos artesanales. Y con cierta frecuencia me producía alguna que otra pequeña lesión. Por ejemplo, si me golpeaba un dedo con el martillo dejaba de inmediato todo cuanto tenía en la mano y me concentraba en el dolor. Lo decisivo era que en ese momento no deseara que el dolor desapareciera. Sólo se trataba de sentir el dolor tal como era. Si al mismo tiempo daba reiki al dedo, mi sensibilidad se intensificaba aún más, e incluso durante un breve período de tiempo el dolor se hacía tan intenso que era prácticamente insoportable. A pesar de todo, logré (al principio, por desgracia, sólo con las lesiones relativamente pequeñas) decir sí a esta vivencia. Una pequeña ayuda que utilicé era disculparme ante el dedo en lugar de maldecirlo por haberme deparado tales dolores. En realidad, era yo quien le había hecho daño, y no a la inversa.

Al cabo de un tiempo, cuando creí haber comprendido realmente que debía actuar más cuidadosamente conmigo mismo, le daba las gracias al dedo diciéndole que era necesario que doliera más. Al cabo de pocos segundos el dolor desaparecía completamente. Con el tiempo pude ir inculcándome cada vez más rápidamente la lección que se me ofrecía. Con ello, lógicamente, reducía también la duración del dolor, que al final sólo permanecía durante unos segundos, incluso cuando se trataba de lesiones más graves. Además, y esto es el auténtico sentido del ejercicio, desde entonces prácticamente ya no me lesiono.

Este ejercicio puede aplicarse en todas las situaciones posibles.

Lo decisivo e importante es llegar a la plena aceptación del dolor, no proscribirlo ni maldecirlo, sino aceptar la plena responsabilidad sobre todo cuanto ocurre. La tentación de hundirse en la autocompasión es siempre inmensamente grande. Después de un periodo de entrenamiento podrás percibir claramente la tentación y decidir cada vez más libremente entre la responsabilidad y la autocompasión. De esta forma, desaparecerá primero el sufrimiento y después, como por ensalmo, también desaparecerá el propio dolor.

Con toda seguridad, el principio de la plena aceptación no es ningún descubrimiento nuevo: todo aquel que se haya ocupado un poco del tema conoce ese inteligente dicho. En forma de ejercicio, que puedes repetir a diario con dolencias aparentemente ridículas, estos «sabios dichos» se vuelven experimentables. Después podrás ampliarlo a dolencias reales y liberarte de problemas comprendiendo más rápidamente su sentido y sus enseñanzas.

Naturalmente, lo anterior se aplica tanto a los problemas psíquicos como a los físicos. He comenzado intencionadamente con los físicos porque es probable que puedas comprenderlos con mucha mayor facilidad. Además, a la mayoría de las personas les resulta más fácil aceptar que los síntomas corporales desaparezcan de golpe que admitir que una situación o incluso un sentimiento desaparezcan por la sola aceptación del problema.

¿Cómo enseñar a mi sensibilidad?

Se trata de la sensibilidad para los sentimientos, los estados de ánimo y las vibraciones, tanto las propias como las de otras personas.

Básicamente, toda persona alberga en sí misma la sensibilidad necesaria, pero puede estar tan bloqueada por una coraza defensiva, la mayor parte de las veces poco consciente, que casi nadie la percibe apenas. Lo que debe entrenarse y practicarse es escuchar la voz interior y confiar en ella.

Como ejercicio para lograrlo en realidad sólo hay dos cosas: observar y verificar.

Lo mejor es comenzar con cosas absolutamente sencillas.

Por ejemplo, puedes observar a un desconocido cómo recorre la calle. Después reflexiona (o mejor, interioriza) cómo puede sentirse esa persona o lo que está pensando en ese momento. Si tienes el sentimiento suficiente para ello, trata de imitarle lo mejor que puedas en sus movimientos exteriores.

Al hacerlo te imbuirás en esa persona y controlarás las propias sensaciones.

Naturalmente, recibirás respuestas más directas de las personas a las que después puedas preguntar: «¿Cómo te sentías hace un segundo?», o: «¿Cómo te encuentras en este momento?» Sin embargo, no puedes fiarte indefectiblemente de que las afirmaciones sean correctas. A medida que te vayas haciendo más sensible en tu observación, tanto más profundamente podrás mirar dentro de las personas.

Si sientes algo que se haya enterrado muy profundamente, incluso a los buenos amigos suele resultarles difícil notarlo, o manifestarlo y darlo a conocer a los demás. Al principio puede haber de vez en cuando disputas cuando tú creas poder intuir el interior de una persona con mayor profundidad que ella misma, y cuando en determinadas circunstancias salgan a la luz verdades bastante incómodas. Con toda seguridad, en los primeros momentos estarás más abierto, especialmente si te dejas arrastrar hacia la psicologización o al procesamiento posterior con el intelecto. A veces, todo se va a pique, y es mejor confiar sólo en lo que se siente directamente: una voz, una imagen, una frase, o una simple palabra. Casi siempre la razón intenta formular con mucha rapidez afirmaciones explicables, o al menos una afirmación que parezca medianamente lógica. Y, para conseguirlo, en ocasiones modifica el contenido antes de que hayas registrado que la razón se hallaba involucrada.

A pesar de todo, con frecuencia merece la pena mantenernos conscientemente en el sentimiento, y lo mejor es hacerlo sin querer convencer a nuestro oponente. Con más frecuencia de la que crees, incluso lo sentimientos que parecen contradictorios se verán confirmados en último término por los demás.

También puedes practicar algo semejante en diversas situaciones. Por ejemplo, cuando viajes sentado en autobús y estés mirando a la calle: «¿Aquel hombre del Volkswagen Polo va a torcer a la izquierda, o va a seguir recto?»

O en el supermercado: «¿La señora que se encuentra delante de mí en la caja va a coger cigarrillos de las baldas o no?, ¿va a pagar con un billete grande o buscará dinero suelto en la cartera?»

Aceptemos que esto suena un poco a leer el pensamiento o a ver el futuro pero, ¿quién no conoce el fenómeno de que suena el teléfono y ya sabemos quién es antes de coger el auricular?

En cualquier caso, este ejercicio enseña la intuición, y no sólo para estas cosas vanales. Además, aquí es más fácil de comprobar si la intuición ha sido correcta que cuando se trata de sentimientos profundos.

Asimismo, la palabra «observación» ya lleva implícito el concepto de «atención». Si has aprendido a «observar» (y por lo tanto, a prestar atención) muy bien a otras personas, muchas cosas serán más fáciles durante el tratamiento.

Un truco más que se refiere a la sensibilidad y la confianza.

En el mundo occidental casi todos hemos sido educados, programados de tal forma que de antemano no creemos en vivencias sobrenaturales. Si tenemos experiencias que demuestran lo contrario, en nuestra reserva de memoria no tenemos ninguna dirección para guardarlas, de forma que las arrinconamos en cualquier lado y «las olvidamos». En realidad, no sabemos en qué registro de memoria se encuentran. Como consecuencia lógica, lo único que necesitamos es dar un nombre a ese registro para volver a encontrarlo. Es más fácil de lo que piensas. La próxima vez que ocurra algo sobrenatural di para tus adentros: «Creo en ello.» O mejor aún: «Me digno creer lo que me acaba de suceder». De esta forma, el registro de memoria recibe un nombre y podrás recordar el suceso, y lo más sorprendente de todo es que recordarás de golpe y porrazo muchas más vivencias inhabituales que había «olvidado».

Este ejercicio puede aplicarse a muchas cosas, tanto a las exteriores como a las que están exclusivamente relacionadas con las sensaciones internas.

Otro ejercicio puede realizarse directamente en las sesiones de terapia, si bien lo mejor de todo es hacerlo en la autoterapia.

Concéntrate primero en el flujo de energía, es decir, en la sensación de cómo y dónde fluye la energía por tu propio cuerpo, y siente con la mayor precisión posible dónde absorbe energía, por qué vías fluye ésta y por qué zonas de las manos sale al exterior.

Entonces presta atención a lo que ocurre cuando oyes un ruido. Probablemente un golpe fuerte te hará sobresaltarte, lo que podrás notar en todo el cuerpo durante unos segundos. Una de estas reacciones es de las más fáciles de observar.

Pero ¿qué ocurre cuando trina un pájaro o cuando pasa junto a nosotros un niño riendo?

Trata de integrar en tu flujo de energía los ruidos amistosos. Deja que el canto alegre del pajarillo que trina en un árbol actúe sobre ti y siente que ese canto es también una energía que puede fluir, que tiene su propia vibración y puede desencadenar exactamente las mismas cosas o el mismo efecto. A medida que aumenta tu sensibilidad podrás seguir el camino que recorre dentro de ti el trino del pájaro. Tal vez penetre de los oídos a tu cabeza, después baje por el tronco y desde allí vaya directamente a las manos. Pero también es posible que penetre en tus hombros o en tu chakra de la coronilla, y que tome caminos muy diferentes. Al principio apenas podrás controlarlo.

Cuando al cabo de cierto tiempo tengas una buena sensibilidad para ello, podrás comenzar a defenderte de ruidos desagradables, es decir, a no dejarlos penetrar a través de ti. Imagínate sencillamente, por ejemplo, el ruido de un motor muy ruidoso que rebota en tu aura y, por lo tanto, no llega a tocarte. Entonces, la proporción de ruidos perturbadores que aún penetran en ti puedes dirigirlos a través de sus pies hasta el suelo, en lugar de hacerlo a través de tus manos.

Con el tiempo, cada vez podrás rechazar o hacer fluir adecuadamente mejor los ruidos repentinos sin asustarte. Si estás perpetuamente despierto y consciente, no hay modo posible de poder asustarse.

Para ello, te presento otro ejercicio eficaz que puede ***enseñar la sensibilidad*** y protegerte al mismo tiempo.

Grábate lo siguiente: cada vez que sientas una vibración desagradable o perjudicial, inspira aire. Espira de forma completamente normal, pero hazlo de inmediato, en el momento en que sientes la vibración, y mejor aún, hazlo antes de que puedas clasificar perfectamente por qué esa vibración no te hace nada bueno o por qué sencillamente no te gusta. Esto ocurrirá con más frecuencia en situaciones en las que salgan a tu encuentro personas con radiaciones desfavorables, o también puedes poner en práctica este ejercicio en otras situaciones diferentes.

Naturalmente, la espiración del aire sólo funciona al principio en los momentos en que piensas en ello de forma totalmente consciente, pero también está pensado para agudizar tus sentidos y hacerte más consciente.

Posteriormente, tu sistema energético se habrá acostumbrado tanto a hacerlo que puedes utilizar el ejercicio a la inversa: cada vez que seas «despertado» por algo que te hace espirar repentinamente, te encontrarás en una situación que no te depara ningún bien. Esto significa que el ejercicio te protege y te enseña a permanecer alerta o a despertar en el momento oportuno.

Viajes fantásticos

Los viajes fantásticos son viajes al interior de la persona.

A pesar de su denominación («fantásticos»), estos viajes son muy reales. La realidad que nos encontramos allí es una realidad diferente, pero no por ello deja de ser una realidad; todo el que ha experimentado realmente un viaje semejante puede confirmarlo. Al igual que en muchos ejercicios, aquí probablemente también necesitarás varios intentos hasta que puedas interiorizar que es posible una vivencia profunda.

En todo caso, también es necesario crear un espacio tranquilo y protegido, planificar tiempo suficiente y a continuación no tener que salir apresuradamente para acudir a alguna cita.

El sentido de los viajes fantásticos es alcanzar el subconsciente a través de nuestro plano de imágenes. En él las imágenes pueden desplegar su efecto sin verse perturbadas por las restricciones de la razón.

Sobre todo, después del primer viaje, puede suceder que una persona que haya respondido especialmente bien necesite más tarde una hora de descanso.

En casos aislados puede ocurrir que alguien pueda sentirse confuso varios días después de realizar estos viajes. He seleccionado conscientemente aquellos viajes que en general no ponen en marcha un trabajo de conciencia demasiado profundo, pero con las personas que conocen muy poco su mundo interior a pesar de todo puede ocurrir que el acceso creado introduzca el desorden en su vida durante unos días. En un caso semejante es aconsejable recabar ayuda profesional. Un terapeuta que trabaje con viajes fantásticos o visualizaciones puede evaluar mejor y, en caso necesario, controlar las reacciones.

Para llegar al plano en el que comienzan los viajes fantásticos, primero deberías realizar un ejercicio de relajación. Para mi propio uso, yo pongo cintas con diferentes ejercicios de relajación antes de cada uno de los viajes. En este libro los reproduzco independientemente de los viajes, y tú puedes componerlos como te plazca. Pero, al menos al principio, antes de cada viaje es necesario realizar un ejercicio de relajación.

En el texto reproduzco los viajes fantásticos tal como los hago en mis seminarios. Puede recitarlos en una cinta o hacer que los lean en voz alta y ejecutarlos. Mejor aún es que alguien los lea en voz alta o los declame libremente, pues en tal caso el locutor puede adaptar el viaje a la energía de la situación.

Esto puede significar, por ejemplo, alargar los pasajes que mueven especialmente a alguien, repetir pasajes o realizar cambios similares. También ocurre que en los grupos en los que realizo estos viajes fantásticos la calidad de las energías puede ser tan variada que los viajes que deben tener un efecto igual difieran mucho entre sí.

Si es la primera vez que te ocupas de viajes fantásticos o ejercicios de visualización y conoces pocas personas con las que puedas intercambiar experiencias al respecto, en principio deberías reservarte tus experiencias. En caso contrario, podría suceder muy fácilmente que un escéptico tratase de destruir o mitigar el efecto positivo mediante argumentos «racionales» (me estoy acordando en este momento de la fábula del pescador de langostas).

Ejercicios de relajación

Por mor de la sencillez, todo lo que debe hablarse lo he puesto entre comillas.

El texto debe pronunciarse con la lentitud adecuada y con una breve pausa después de cada frase; una «pausa» significa que en ese punto está indicado hacer una pausa más prolongada.

Tiéndete cómodamente de espaldas sobre una base no demasiado blanda y cúbrete con una manta ligera. Tal vez necesites colocar algo sobre tus rodillas para descargar la espalda.

Cualquiera puede imaginar su propia forma de transición al ejercicio de relajación seleccionado en cada caso. Por ejemplo, puede hacer que alguien salga del ascensor y darle previamente una idea del escenario que va a pisar. Pero no es estrictamente necesario configurar de forma totalmente lógica la transición hacia el viaje fantástico. Si hablas consciente de ti mismo, el espíritu efectuará ligeros saltos de pensamiento. Por ejemplo, puede hacer que tu cliente despierte en una pradera en pleno estío sin necesidad de una transición demasiado dilatada. En cualquier caso, presta atención para que no se produzca una pausa excesivamente larga y que el viaje comience directamente.

Relajación con puntos de luz

Este ejercicio lo considero muy prometedor, aun cuando exige algo más de tiempo. Aunque de golpe y porrazo no puedas visualizar demasiado bien los colores, a pesar de todo sirve para relajar muy bien.

«Cierra los ojos. Presta atención un momento a tu respiración. Siente si estás tumbado cómodamente y arrellánate si alguna parte de tu cuerpo no se siente especialmente bien. Pausa.

Imagínate en la lejanía una luz roja. Deja que esa luz se vaya acercando lentamente. Al acercarse va haciéndose más grande y más brillante, y se acerca paulatinamente pero sin cesar.

Mientras la luz roja va acercándose a ti, haz que una energía cálida fluya dentro de los dedos de tus pies. Imagínate que abres los dedos de tus pies y dejas que esta energía cálida, relajadora y al mismo tiempo vivificante fluya hacia dentro de tus pies por las puntas. La energía cálida y relajadora fluye dentro de tus pies, y éstos se vuelven cálidos y se relajan. Tal vez sientas incluso un ligero cosquilleo.

Ahora la energía continúa fluyendo a través de las articulaciones del tobillo a las pantorrillas.

La luz roja se encuentra ya muy cerca de ti.

La energía cálida continúa fluyendo por tus piernas, llega a las rodillas y a los muslos. Ahora todas tus piernas están cálidas, y pesadas y blandas. La energía continúa fluyendo hacia tu pelvis, y allí fluye por cada célula, relaja cada músculo, seda cada nervio. Tu pelvis se llena plenamente de esta cálida energía relajadora.

Ahora la luz roja se retira lentamente, se va haciendo más pequeña y acaba desapareciendo. En ese momento surge una luz anaranjada. La luz anaranjada también va acercándose, se hace mayor, más brillante y grande cada vez.

Entonces siente cómo la cálida energía continúa fluyendo desde tu pelvis hacia arriba: primero relaja los músculos del vientre, después fluye a tus órganos internos. Le da nueva energía a tus riñones, te calienta el estómago y el intestino, da nueva energía a tu hígado e inunda tus pulmones, de forma que puedes respirar con facilidad y libremente. Pausa.

Ahora la cálida energía relajadora fluye hacia tu espalda. Sientes cómo va ascendiendo desde abajo por toda la columna vertebral, vértebra a vértebra, y todos los músculos de la espalda van caldeándose y haciéndose grávidos y blandos. Toda la espalda se calienta y está agradablemente pesada.

Ahora la cálida y blanda energía relajadora fluye a tu corazón. Abre tu corazón, lo ensancha completamente, y sientes cómo la luz anaranjada lo va caldeando, tu corazón se ve inundado de la energía relajadora y de la luz anaranjada.

El amplio sentimiento en tu corazón se expande a través de todo tu pecho, toda tu caja torácica se relaja, y respiras libremente y con facilidad. También sus hombros caen hacia atrás, se hacen pesados y blandos, la energía fluye descendiendo por tus brazos hasta las manos. Tus brazos y manos se vuelven cálidas y pesadas y se relajan completamente. Pausa.

A continuación la luz anaranjada va retirándose lentamente y se va haciendo más pequeña cada vez, hasta desaparecer.

En ese momento imagínate una luz amarilla. La luz va acercándose cada vez más, haciéndose mayor.

A medida que va acercándose, siente cómo la energía relajadora asciende hasta tu nuca, y la nuca se hace cálida y blanda. Este calor y esta relajación se expanden por toda la piel de la cabeza, toda la piel de la cabeza se relaja, es una sensación como si se relajara cada una de las raíces capilares. A continuación fluye también a tu frente. Tu frente se ablanda y se hace cálida. La cálida energía fluye también a tus mandíbulas, los músculos de las mandíbulas se relajan, se ablandan y se aflojan. Tus labios también se vuelven blandos, tu nariz y tus oídos se sienten blandos y relajados. Pausa.

La luz amarilla se ha acercado mucho, está directamente ante ti, se aparece cálidamente antes tus ojos. Tus ojos se calientan en sus órbitas, los músculos oculares se calientan y se aflojan, finalmente se relaja también la zona del ojo, todo tu semblante, toda tu cabeza, todo tu cuerpo está ahora agradablemente cálido y relajado. Pausa.

Ahora la luz amarilla también se retira, se va haciendo más pequeña cada vez hasta que desaparece a lo lejos.

En ese momento surge una luz verde, un pequeño punto verde. Es un verde claro y refulgente, como una esmeralda, un color totalmente transparente. La luz también va acercándose a ti, haciéndose mayor y acercándose poco a poco. Sientes que la luz verde está ahí para relajar tus pensamientos. Se acerca cada vez más, tus pensamientos se relajan y se hacen más pausados. La luz verde continúa acercándose, tranquiliza tus pensamientos cada vez más, mientras tu espíritu despierta completamente y permanece transparente.

No necesitas ahuyentar tus pensamientos, no necesitas retenerlos. Puedes observarlos sencillamente con tu espíritu despierto. Ves cómo se acercan, puedes pensar en ellos o no hacerlo; y ves cómo vuelven a alejarse, los observas con absoluta serenidad.

Tal vez veas que ahora los pensamientos no vienen de tres en tres, sino aisladamente, uno tras otro, y que se hacen más pausados y tranquilos.

La luz verde transparente está ahora justo delante de ti, todo tiene un resplandor verde. Ves el flujo pausado de tus pensamientos. A veces incluso puedes ver pausas entre los pensamientos, pausas diminutas y cortas como una eternidad. Pausa.

Entonces la luz verde va apagándose lentamente, como una neblina verde que se va difuminando. Imagínate ahora una luz azul, de un azul cálido y transparente. Haz que el azul vaya acercándose a ti, que irradie cada vez con más transparencia y grandeza, que vaya acercándose cada vez más.

Y siente que esta luz azul es la paz, que irradia paz. Pausa.

Ahora sientes que tu cabeza se tranquiliza más, que los pensamientos se hacen más pacíficos. La luz azul está ahora muy cerca de ti y comienza a envolverte, sigue acercándose y finalmente te envuelve por completo, te hallas envuelto por esta neblina azul. La paz que irradia la luz azul fluye hacia ti, te atraviesa. A veces emerge aquí o allá un pensamiento que no te perturba. Te bañas en esa niebla azul completamente tranquilo. Pausa.

Ahora la luz azul va sublimándose suavemente, se hace más pálida y se disuelve lentamente por completo.

Finalmente, ves una luz violeta oscura. Es un violeta muy oscuro y cálido. También el violeta oscuro se acerca a ti, se hace más grande, se acerca y está justo delante de ti, y le envuelve de repente por completo, te bañas en ese mar azul violeta, completamente cálido y protegido. Y sientes que ese violeta es el silencio. Pausa.

Te bañas en ese violeta oscuro, no hay nada excepto este mar de color y de silencio, y disfrutas sencillamente ese silencio. Pausa.

Ahora te hallas en un plano de conciencia en el que puede pasar todo lo positivo y creativo. Tu cuerpo se ocupa de ti, tu corazón palpita lentamente y con regularidad, y tu respiración se hace absolutamente armónica. Te hallas libre del espacio y del tiempo.

Para alcanzar una profundidad mayor, ahora contaré desde diez hasta cero lentamente, y te imaginarás que te encuentras en un ascensor y que cada número es un piso.

Diez.	Pausa
Nueve.	Pausa
Ocho...	y seguimos bajando
Siete.	Pausa
Seis.	Pausa
Cinco.	Pausa
Cuatro...	cada vez más y más abajo
Tres.	Pausa
Dos.	Pausa
Uno.	Pausa
Cero.»	

Aquí podría (y debería) comenzar directamente un viaje.

Cuando te hayas acostumbrado a este ejercicio de relajación (o si con él puedes relajarte rápidamente), puedes abreviarlo, inventar otros nuevos o probar los siguientes.

Relajación abreviada

Túmbate cómodamente.

«Cierra los ojos. Presta atención a tu respiración. No influyas en ella, limítate a observarla.

Ahora dirige tu atención a tus pies. Siente cómo tus pies se apoyan sobre su base. Siente exactamente dónde comienza la base de apoyo y dónde terminan tus pies. Ahora comienza a recorrer hacia arriba tus piernas con tu consciencia. Siente dónde se apoyan las piernas: primero la pantorrilla, el muslo, después continúa hasta la pelvis. Siente dónde se apoyan tus nalgas, siente el peso y la presión sobre el suelo.

Siente también cómo el suelo te sustenta con seguridad.

Ahora recorre tu espalda hacia arriba lentamente, vértebra a vértebra, sintiendo cada una de ellas. Siente qué vértebra apoya sobre el suelo con demasiada presión, cuáles sólo rozan el suelo y cuáles tal vez estén en vilo, sin contacto con el suelo.

Siente tus hombros, tus brazos, obsérvate hasta las manos, siente cómo éstas se apoyan sobre el suelo. Finalmente, siente la cabeza, siente cómo se apoya sobre su base, siente la presión de abajo que te sustenta con seguridad.

Ahora dirige tu atención a tu respiración. Con cada respiración haz que fluya dentro de ti energía luminosa relajadora y vivificante. Con cada respiración caes más profundamente, hazte cada vez más pesado sobre tu base de apoyo. Pausa.

Siéntete a lo largo de todo tu cuerpo, observa si tu cuerpo se encuentra bien en todas sus partes. Si localizas puntos que aún están tensos o que por cualquier otra razón no se sienten bien, inspira en esos lugares, para enviarles energía luminosa hasta que se sientan bien relajados y cálidos.»

Breve relajación respiratoria

Tiéndete cómodamente.

«Arrellánate un poco hasta que estés tendido de forma que puedas permanecer así un rato.

Ahora dirige tu atención a la punta de la nariz. Imagínate que te introduces completamente en ella. Siente cómo el aire pasa junto a la punta de tu nariz cuando inspiras. Después siente cómo el aire más caliente vuelve a pasar junto a la punta de tu nariz al espirar. Pausa.

Siente la energía en el aire, el ligero cosquilleo que emana del aire al pasar. Imagínate que inspiras luz pura. Luz que inunda, calienta y vivifica tu cuerpo. Pausa.

En la siguiente respiración deja que un pequeño soplo de respiración penetre en tu nariz. Al espirar, te desplazas con el aire hasta la punta de la nariz. Después, cuando vuelvas a inspirar, introdúcete un poco más, tal vez hasta la parte posterior de la nariz. Al espirar vuelve a salir, pero no completamente, sólo avanzando un poco.

Así vas penetrando lentamente, cada vez a mayor profundidad, en ti mismo, paso a paso.

Con cada inspiración y espiración vas viendo cómo la luz vivificadora fluye dentro de ti, cómo te da nueva energía y cómo el flujo te atraviesa cada vez más.

Ahora déjate llevar hasta el cuello. Pausa.

Un pasito más y te introduces hasta los bronquios. Pausa.

Un poco más profundamente, te bifurcas en tus bronquios. Déjate llevar más y más profundamente hasta que sientas cómo tus diminutos bronquiolos van tomando contacto con tu sangre. Pausa.

Con la siguiente inspiración déjate llevar hasta tu sangre. Siente tu sangre con la energía luminosa y deja que la sangre y la energía sean llevadas por todo su cuerpo. Deja que la energía llene todo tu cuerpo. Pausa.

Con cada inspiración introduce poco a poco más energía luminosa en tus pulmones, en tu sangre, en todo tu cuerpo. Pausa.

Ahora tu cuerpo está tan lleno de energía que puedes introducirte completamente en tu mundo de fantasía creativo.»

Viaje al árbol: contacto con la tierra

«Imagínate que despiertas sobre una pradera de verano. Hace calor y el sol brilla en tu rostro.

Retozas como un animal que acaba de despertarse, te estiras y te desperezas.

Después ponte de pie y mira a su alrededor. Estás sentado en medio de una gran pradera con altas hierbas verdes y miles de flores de todos los colores. Multicolores mariposas revolotean por doquier, y oyes zumbar a las abejas.

Entonces te pones en pie, y, sintiendo la hierba bajo tus pies desnudos, caminas un poco dando vueltas por la pradera. Hueles el aroma de las flores, te quedas mirando una mariposa especialmente bella, vas de una flor a otra. Sientes el sol dándote en la cabeza, vagabundeas sin rumbo por tu pradera.

Después te giras un poco. Descubres unos cuantos árboles grandes y vigorosos que se yerguen aislados. Vas hacia uno de ellos, eliges el que más te gusta. Seleccionas uno especialmente fuerte con un tronco fuerte y una copa hermosa. Pausa.

Una vez que has encontrado tu árbol, vete hacia él y abrázalo. Agita su tronco para ver que realmente está firme.

Entonces siéntate en el suelo con la espalda apoyada en su tronco. Pon tu columna vertebral completamente recta para que toque el tronco desde el extremo superior al inferior. Apóyate firmemente contra el tronco, siente la corteza, siente la madera del árbol, siente lo esta- ble que es. Introdúcete mentalmente en el tronco hasta que tu columna vertebral se funda con él, hasta que sientas cada una de las fibras de la madera. Conviértete, finalmente, en el propio tronco, siente su fuerza y su energía.

A continuación vete descendiendo por tu tronco. Vete hasta abajo del todo, hasta que reine la oscuridad y te introduzcas en la tierra. Siente tus gruesas raíces, y continúa bajando, bifúrcate en raicillas de menor tamaño y continúa profundizando hasta penetrar en la oscuridad de la Madre Tierra. Intégrate completamente en esa oscuridad, en la cálida, húmeda y protectora oscuridad de la Madre Tierra.

Continúa ramificándote hasta que finalmente estés compuesto por miles de diminutos extremos de raicillas. Con estos miles de raíces siente cómo la Madre Tierra te sostiene y cómo puedes mantenerte pegado a ella, cómo rodeas pequeñas piedrecitas, cómo tus raíces se incrustan en la tierra.

Siente también que allí hay alimento suficiente, que a través de tus raíces obtienes bebida y comida en abundancia. No necesitas preguntarte nada, sólo coger de la Madre Tierra lo que es bueno para ti.

Ahora recuerda por un momento tu vida como hombre. Recuérdate también en situaciones en las que has necesitado seguridad, estabilidad y protección y cómo no las podías obtener de las personas que te rodeaban. Siente otra vez la Madre Tierra, siente la seguridad de esa cálida oscuridad, siente lo firmemente que te hallas anclado a la Madre Tierra. Siente la seguridad que obtienes aquí, la estabilidad y la energía. Obtienes cuanto necesitas. Pausa.

Cuando te sientas completamente seguro, absolutamente seguro sobre el suelo, cuando estés enraizado en la Madre Tierra, retorna otra vez lentamente hacia arriba. Vete uniendo las múltiples raíces en otras más gruesas, continúa creciendo y amalgamándote hacia otras más gruesas. Arrastra en tu viaje hacia arriba toda la energía y seguridad que has absorbido con tus pequeñas raíces, al igual que un árbol envía hacia arriba su sabia.

Retorna a la superficie de la tierra; la claridad se va restableciendo a medida que asciendes lentamente por el tronco. Ahí te vas dividiendo en gruesas y fuertes ramas, ramificándote después en otras menores hasta llegar a las ramas más pequeñas. Finalmente, dirígete hasta las hojas del árbol, hasta las múltiples y numerosas hojas. Siente allá arriba el viento y el sol, siente las cualidades del cielo. Déjate mecer por el viento, absorbe el sol dentro de ti junto con sus hojas; ahora te encuentras lleno de energía.

Recuerda una vez más tu vida como hombre. Recuérdate también en situaciones en las que te faltaban energía, valor y apoyo.

Siéntete otra vez en sus hojas, siente el sol sobre tus hojas, siente la energía que te envía el sol. Siente que ahí hay suficiente energía para recargar las pilas, que recibes tanto cuanto necesitas.

Recárgate de confirmación, valor y todo lo que necesitas, puesto que todo se encuentra allí. Pausa.

Cuando estés completamente saciado, cuando hayas recogido suficiente luz, retorna lentamente a tus ramas más gruesas, después a otras más gruesas aún, hasta concentrarte de nuevo en el tronco. Desciende lentamente por el tronco hasta que te halles en el centro del mismo.

Entonces siente otra vez la tierra debajo de ti. Siente la estabilidad, la seguridad y la protección que ella te da.

Ahora siente hacia arriba, en tu copa, la energía, el valor y la energía para actuar que recibes de allí arriba.

Deja que esas cualidades fluyan a tu interior, siente la sujeción segura de la Madre Tierra y la energía del cielo dentro de ti. Siente que como hombre te encuentras en el centro, intermediador entre el cielo y la tierra, y que de ese encuentro del cielo y de la tierra obtienes tu energía y fortaleza. Pausa.

Ahora retorna lentamente a tu espalda humana, retorna desde el vigoroso tronco a tu columna vertebral. Siente que también tu columna vertebral aúna en sí las fuerzas del cielo y de la tierra. Siente que tu columna vertebral es igual de fuerte que ese árbol, que está enraizada de forma tan fija como él y que dispone de toda la energía del cielo. Pausa.

Con este sentimiento, levántate. Da las gracias a ese árbol que te ha mostrado la fuerza que se oculta en ti y a través del cual has retomado tu contacto con la tierra, siente el suelo seguro bajo tus pies. Luego, antes de irte, promete al árbol que le visitarás con más frecuencia, que siempre pensarás en él cuando lo necesites.

Luego, despídete de él, retorna a la pradera florida. Busca en ella un lugar en el que te sientas a gusto, donde haya flores y donde la hierba esté magníficamente blanda. Túmbate de forma que el sol te dé en el rostro, y siente la tierra bajo ti, cómo te sustenta. Con esta sensación retorna ahora lentamente a esta realidad. Lleva contigo todos los sentimientos y recuerdos de este viaje para que puedas integrarlos en tu vida.

Siente ahora la esterilla o la cama sobre la que estás tendido, siente tus pies, tus piernas, tus brazos, tu espalda y tu cabeza. Comienza a desperezarte y a estirarte para que tus músculos vuelvan a adquirir tensión. Inspira unas cuantas veces profundamente, más profundamente cada vez, y abre los ojos.

Tómate tiempo para incorporarte. Tu circulación puede necesitar algunos minutos para recuperar su plena capacidad funcional. Además, es bueno continuar pensando un poco en el árbol y su energía en estado de vigilia.

Viaje de depuración

Este viaje es adecuado cuando has absorbido algo que no te ha venido bien. Dado que éste es un libro sobre reiki, en primer lugar se trata de la depuración cuando después de una o varias sesiones tienes la sensación de no poderte liberar de síntomas, dolencias o sentimientos del cliente ni siquiera lavándote las manos o duchándote.

Al mismo tiempo, es muy bueno cuando has comido algo equivocado, cuando has tenido que hacer un trabajo sucio o cuando te has visto tan desagradablemente afectado por un suceso que ya no te sientes bien en tu propia piel.

Además, este viaje proporciona mucho bien después de un día agotador o cuando deseas sentirte bien o hacer algo por ti mismo.

Comienza después de un ejercicio de relajación, o bien empieza directamente el viaje si eres capaz de concentrarte muy bien en él.

«Imagínate que despiertas en una pradera en verano. Estás tumbado de espaldas, y el sol te da en el rostro. Estás rodeado de hierbas altas. Yérguete, desperézate y estírate como un animal que acaba de despertar y mira a tu alrededor. Primero ves flores de todos los colores por la pradera. Ves mariposas, grandes y pequeñas, algunas poco llamativas de suave azul claro, otras más pequeñas de un vigoroso rojo oscuro y grandes mariposas multicolores de magníficos colores. Oyes zumbar a las abejas y, muy arriba en el cielo, canta una alondra en pleno vuelo. Pausa.

Ahora levántate, siente la hierba bajo tus pies desnudos y camina lentamente dando vueltas por la pradera.

De vez en cuando, párate para olisquear una flor u observar una mariposa particularmente bella. Pausa.

De repente descubres un pequeño sendero de tramperos. Aparentemente no lo conocen muchas personas, está poco hollado, sólo que la hierba es baja y por él puede andarse bien. Sigue este pequeño sendero que serpentea entre la hierba alta y las flores.

Ahora oyes un suave chapoteo, o más bien un ligero gorgoteo y un borboteo muy quedo. Sigues esos ruidos.

Tras el siguiente recodo ves un pequeño riachuelo. Es tan estrecho que podrías cruzarlo de un gran salto. Su agua es totalmente cristalina, la superficie refulge y refleja el sol.

Despréndete de tus ropas, quédate completamente desnudo y tiende tus prendas al sol para que se depuren con sus cálidos rayos.

Después introduce los pies en el agua cristalina, siente su refrescante frío, nota cómo el agua lava tus pies.

Comienza a lavarte con esa maravillosa agua cristalina. Lávate todo el cuerpo, las piernas, la pelvis, el vientre; coge agua en el hueco de las palmas de tus manos y viértela sobre tu pecho, sobre los brazos y los hombros, sobre la espalda. Lávate la cara y deja que el agua corra por tu cabeza. Pausa.

Recuerda de pronto lo que te oprimía, aquello de lo que querías depurarte. Pausa.

Lávalo para eliminarlo también de tu cuerpo, frótalo con las manos para eliminarlo de tu piel y acláralo de inmediato con agua cristalina eliminándolo de tu alma. Sigue cogiendo agua fresca hasta que se haya lavado el último pensamiento, hasta que se haya eliminado la última lágrima. El riachuelo tiene suficiente agua para ti, siempre aporta agua nueva mientras tú así lo desees. Pausa.

Entonces, cuando estés completamente limpio, cuando te sientas puro y cristalino como la misma agua, siente de nuevo los cálidos rayos del sol. Sigue con los pies dentro del riachuelo y deja que el sol te vaya secando. Estira ambas manos juntas, tan alto como seas capaz, hasta que casi tengas el sol en tus manos.

En este momento, siente cómo el sol comienza a fluir dentro de tu cuerpo a través de tus manos. Estas manos comienzan a irradiar, a brillar como el sol. La luz dorada fluye hacia abajo a través de tus brazos, hasta tu caja torácica; todo tu tronco y también tu cabeza se iluminan. Pausa.

Siente la fuerza purificadora de la luz solar, siente cómo son lavados y eliminados de tu cuerpo hasta los últimos pensamientos y recuerdos desagradables.

Ahora comienzan a iluminarse también tus piernas, tus pies. Y entonces mira cómo el riachuelo brilla con reflejos dorados río abajo a partir de tus pies, al igual que el sol dentro de ti. La luz del sol fluye a través de tus manos, por todo tu cuerpo, por tus piernas y por tus pies, hasta el agua. Irradias y brillas como si tú mismo fueras el sol.

A continuación abandona el arroyo.

Coge tus prendas de vestir purificadas y calentadas por el sol y vístete de nuevo.

Agradece al riachuelo la depuración efectuada y da igualmente gracias al sol. Pausa.

Después, retorna caminando lentamente a tu pradera. Busca un buen lugar en el que te sientas bien y seguro. Túmbate en él sobre la hierba, echa una ojeada al sol y, finalmente, cierra los ojos. Pausa.

Déjate arrastrar de retorno lentamente a la realidad material. Llévate contigo todos los recuerdos, llévate todo lo que has vivido. Siente tu cuerpo más limpio e inundado por el sol mientras regresas.

Percibe lo bien que se siente tu cuerpo, lo bien que te sientes en él. Pausa.

Después, deja que tus músculos recuperen lentamente la tensión, moviéndote poco. Luego, comienza a desperezarte de verdad. Inspira y espira profundamente, y, cuando sientas de nuevo completamente tu cuerpo, abre los ojos.»

Cuando estés de nuevo completamente despierto, mira tu cuerpo, siéntelo: ¿no es maravilloso?

Aun cuando el viaje haya terminado, aun cuando te encuentres de nuevo en la realidad «razonable», puedes disfrutar de tu cuerpo y sentirse bien en él. El viaje está pensado para ello.

Cuestionario

ESTAS PREGUNTAS PRETENDEN abarcar *grosso modo* los efectos y posibilidades del reiki. En él veo una oportunidad de facilitar a las personas de pensamiento muy científico (por ejemplo, funcionarios de cajas del seguro de enfermedad) convencerse de la efectividad de la energía reiki y, por lo tanto, de hacer el reiki accesible a un círculo más amplio de personas.

Se ha propuesto marcar casillas con una cruz para poderlo evaluar estadísticamente, pues los textos y respuestas individualizados dejan abiertas muchas posibilidades de interpretación. En tal caso un cuestionario semejante carecería de importancia «científica».

Plantea también las preguntas a amigos, conocidos y compañeros, puesto que las páginas pueden fotocopiarse.

Si tú mismo tienes preguntas que tendrían que responderse en otro libro, formúlalas de la forma más precisa posible para que podamos tratarlas en profundidad.

Naturalmente los nombres y las direcciones no se pondrán en conocimiento de terceros.

Te rogamos que envíes la carta a: Windpfer Verlag, Kennwort «Reiki-Fragebogen», Postfach, D-87648 Aitrang.

Muchas gracias.

1. ¿Qué grado de reiki tienes?
   ❑ Primer grado ❑ Segundo grado ❑ Tercer grado

2. En tu caso, ¿se han respetado los períodos de separación entre el primero y segundo grado (mínimo tres meses) y entre el segundo y el tercer grado (mínimo tres meses)?
   ❑ Sí ❑ No

3. ¿Con qué frecuencia aproximada realizas terapias reiki en el plazo de una semana?
   ❑ Una vez ❑ Dos veces ❑ Tres veces
   ❑ Con más frecuencia ❑ Raramente

4. ¿Con qué frecuencia te tratas tú mismo o te tratan con reiki en el plazo de una semana?
   ❑ Una vez ❑ Dos veces ❑ Tres veces
   ❑ Con más frecuencia ❑ Raramente

5. ¿Tienes la sensación de que con tu iniciación te encuentras, en conjunto, más sano y/o más feliz?
   ❑ Sí ❑ No ❑ NS/NC

6. ¿Tienes la sensación de que con tu iniciación te has vuelto más sensible?
   ❑ Sí ❑ No ❑ NS/NC

7. ¿Tienes la sensación de que con Tu iniciación has ganado más conciencia?
   ❑ Sí ❑ No ❑ NS/NC

8. Después de tus iniciaciones reiki, ¿ha habido épocas en las que has tenido la sensación de perder el suelo bajo los pies?

Algo parecido puede manifestarse también por dificultades en la vida diaria: por ejemplo, el sentimiento de debilidad corporal; en algunos casos, también problemas especiales con las piernas, rodillas o pies; repentinamente gran impuntualidad u otras dificultades consigo mismo o con el entorno más o menos inexplicables.

❑ Sí ❑ No ❑ Algo

9. ¿Has estado preparado, en el sentido de anticiparte a que podría pasar algo parecido?

❑ Sí ❑ No

10. ¿Has experimentado alguna vez en el trabajo con reiki una transferencia de síntomas?

❑ Sí ❑ No ❑ Con frecuencia

11. Después de un tratamiento efectuado por ti, ¿te ha ido peor que antes una o varias veces?

❑ Sí ❑ No ❑ Con frecuencia

12. ¿Volviste a liberarte rápidamente de los síntomas?

❑ Sí ❑ No ❑ No siempre

13. En los cursos de reiki, ¿has aprendido cómo puedes manejar mejor el reiki?

❑ Sí ❑ No

14. Estas vivencias, ¿han modificado tu actitud frente al reiki?

❑ No ❑ Me he hecho más cauteloso

❑ He dejado las terapias de tratamiento